BASIC INSTINCT

BASIC INSTINCT

Un roman de
Richard OSBORNE

basé sur un scénario de
Joe ESZTERHAS

PRESSES POCKET

Paru en première édition aux États-Unis
sous le titre
Basic Instinct
Traduit de l'américain
par Gilles Bergal

ISBN 2-266-04996-8

PROLOGUE

La musique provenait d'une platine laser étincelante près de la fenêtre de la chambre, le volume au minimum. De l'autre côté de la fenêtre, la ville de San Francisco s'éveillait sur un matin d'une exceptionnelle clarté ; ce jour-là, San Francisco ne connaîtrait pas son proverbial brouillard.

Johnny Boz était allongé sur le grand lit de cuivre — un homme riche, c'était indéniable, et également un homme de goût, mais de bons et de mauvais goûts : il aimait l'art, la musique, et le luxe ; ses mauvais goûts étaient plus destructeurs — drogues dures, un peu de sadomasochisme et filles faciles.

La femme qui le chevauchait était belle ; ses longs cheveux blonds ondulaient sur ses épaules nues, ses seins parfaits tombaient comme des fruits mûrs au-dessus de son visage, tentants, juste hors de portée de ses lèvres avides.

La femme baissa sa bouche écarlate et l'embrassa voracement, la langue tendue. Il l'embrassa à son tour, aspirant profondément sa langue. Elle lui leva les mains au-dessus de la tête et les maintint là. Sortant une écharpe de soie blanche de sous l'oreiller, elle lui lia les poignets puis les attacha aux barreaux de la tête de lit. Il tira sur les liens, les yeux clos, en extase.

Elle descendit en souplesse le long de son corps et il entra en elle, glissant profondément, les hanches de la femme le broyant. Il eut un sursaut, s'enfonçant en elle, la poignardant, transperçant profondément son corps, sentant tout son poids et toute sa moiteur sur lui.

Ils étaient pris dans l'instant, subjugués par le pouvoir euphorisant du sexe. Les yeux fermés, elle se cabrait et retombait, ses hanches s'empalant sur lui, le dos arqué, les seins tendus et fermes.

Il sentit son orgasme jaillir du plus profond de lui-même et rejeta la tête en arrière, exposant sa gorge blanche, la bouche ouverte sur un cri silencieux, les yeux révulsés. Délicieusement tourmenté il tira sur la soie qui lui liait les bras.

Son heure à elle était arrivée. Il y eut un bref éclair argenté dans sa main, un éclat métallique, aiguisé et mortel. Sa main droite s'abattit, vive et cruelle, l'arme transperçant sa gorge pâle que son sang peignit brusquement en rouge. Il se convulsa, traversé par la douleur d'une mort soudaine et violente, et la puissance irrésistible de l'orgasme.

Le bras de la femme s'abattit encore et encore sur sa gorge, sa poitrine, ses poumons. Les draps crème devinrent carmin. Il mourut, se projetant corps et âme en elle.

CHAPITRE UN

Les gyrophares rouges et blancs des voitures de police éparpillées devant le 3 500 Broadway, à Pacific Heights, face à la maison de Johnny Boz, clignotaient comme des phares, leurs éclats acérés perçant la brume de coups brefs. L'air bruissait des craquements et des conversations des radios de la police, et les lève-tôt — les promeneurs de chiens, en argot de policiers — observaient comme le public d'un match de sport ; les flics sur les lieux affectaient la nonchalance qui va de pair avec le contact permanent avec le meurtre.

Une automobile banalisée de la police — si banale : pas de chromes, pas de décorations, si peu de chose qu'il ne pouvait s'agir que d'une voiture de police — descendit la rue et s'arrêta dans l'entremêlement de voitures pie et de flics. Deux hommes en descendirent et admirèrent la façade élégante de la maison victorienne.

Le plus âgé des deux, Gus Moran, eut un hochement de tête approbateur.

— Joli quartier pour un meurtre, dit-il.

— Cette ville a vraiment la classe pour ce qui est des homicides, répondit son partenaire. Cela ne peut que favoriser le tourisme.

Les deux hommes n'auraient pu être plus différents. Comme la voiture qu'il conduisait, Gus Moran n'aurait jamais pu passer pour autre chose qu'un équipement standard de la police de San Francisco. Mais ses yeux affichaient deux décennies de désillusions. L'homme était fatigué.

Son partenaire, Nick Curran, était plus jeune et plus difficile à cataloguer. Il portait un bon costume, du genre juste un peu trop à la mode pour faire de lui un flic à la minute où vous posiez les yeux sur lui. Mais il avait un côté tranchant, une dureté acquise dans les rues, l'air légèrement arrogant et la confiance d'un homme qui vit en permanence avec une arme sanglée sous l'aisselle. Contrairement à son partenaire fatigué, pour Nick Curran le jeu continuait toujours, les règles changeaient tous les jours — la plupart du temps, la seule règle était qu'il n'y en avait pas —, la rue devenait plus mauvaise, mais Curran pouvait encore en venir à bout. Il n'avait pas abandonné, et n'était pas près de le faire — pas encore, en tout cas.

Il se frayèrent un chemin entre les policiers qui faisaient le guet devant la porte et entrèrent dans l'élégante demeure. Moran reniflait l'air comme un setter en tapotant le côté de son nez. Il y avait dans cette maison une odeur qu'il avait rencontrée auparavant — pas souvent, mais il suffisait de la sentir une fois pour savoir ce qu'elle signifiait.

— Fric, dit-il.

Il examina le décor sophistiqué, le mobilier art-déco parfait, sans prétention, les tapis épais, les tableaux sur les murs.

— Joli, dit-il. C'était qui, déjà, ce connard ?

— Rock and Roll, Gus. Johnny Boz.

— Jamais entendu parler.

Nick sourit. Il aurait été très surpris si Gus avait entendu parler de Johnny Boz — les goûts musicaux de Moran, ou ce qui lui en tenait lieu, se limitaient au country texan le plus primaire.

— Il est arrivé bien après ton époque. Le milieu des années soixante — tu te souviens, les hippies, l'été de l'amour... Tu étais probablement en uniforme à cette époque, à taper sur des crânes dans le Haight.

— C'était le bon temps.

— Boz a percé à ce moment-là. Cinq ou six hits. Puis il est devenu respectable — pour le rock and roll du moins. Il s'est offert un club dans les bas quartiers, dans le Fillmore.

Nick jeta un coup d'œil au Picasso pendu dans le salon.

— Mais à présent il est vraiment dans les beaux quartiers.

Moran le précéda dans la chambre éclaboussée de sang.

— Les beaux quartiers ? Non, maintenant il n'y est plus.

Boz était toujours étendu sur le lit, un morceau de viande attaché aux montants de cuivre. Il était difficile pour Moran d'imaginer blessure plus sanglante que de multiples déchirures à la gorge, particulièrement sur un corps dont le cœur pompait frénétiquement sous l'influence de l'extase et des drogues. La coûteuse literie était brunie de sang séché, le matelas trempé jusqu'aux ressorts.

Curran fixa le corps, comme pour le photographier dans son esprit, puis se détourna en secouant la tête, observant les policiers qui encombraient la pièce.

— On se croirait dans un séminaire de la police, grommela-t-il.

Il y avait les gars du labo, qui passeraient la pièce au peigne fin, cherchant et fouillant jusqu'à être capables d'en écrire la biographie, l'équipe du coroner qui ferait de même pour le corps perforé de Boz, deux membres du bureau des Homicides, Harrigan et Andrews. Ils avaient eu la malchance de découvrir le crime durant cette période floue où ils quittaient leur service pendant que Curran et Moran prenaient le leur. Quelques flics en uniforme se tenaient là pour profiter du spectacle. C'était la foule habituelle pour un meurtre.

Deux autres policiers se trouvaient déjà sur place, qui n'étaient pas, cependant, de ceux qui se montraient habituellement pour un homicide. Curran se retira dans un coin de l'immense chambre à coucher, regardant de travers le lieutenant Phil Walker et le capitaine Mark Talcott. Walker, le chef de la brigade des Homicides de la police de San Francisco, était tout à fait en droit de se trouver là — bien que cela ennuyât Curran que la mort d'une ancienne star du rock attire les galonnés alors que le meurtre d'une mère de famille au chômage de Hunters

Point ne le ferait pas. La présence de Talcott, chef de police adjoint et premier porte-valise politique du bureau du maire, signifiait que tout ça cachait quelque chose de gros — quelque chose qui, Nick Curran le savait, avait peu de rapport avec le meurtre et beaucoup avec la politique municipale.

Gus Moran, qui était loin d'être idiot, jeta un coup d'œil aux deux patrons et leva un sourcil en direction de son partenaire.

— Ne te fais jamais assassiner, Nick. Si tu veux qu'on respecte ta vie privée.

— Voilà le genre de paroles qui m'aident à vivre.

— Vous connaissez le capitaine Talcott ? leur demanda Walker.

— Bien sûr, répondit Curran. Son nom est régulièrement cité dans la colonne d'Herb Caen.

— Très drôle, Nick, dit Talcott.

— Qu'est-ce que le bureau du chef fait ici, capitaine ?

Moran savait être poli. Il était meilleur que Curran à ce jeu.

Talcott croisa les bras et ses yeux parcoururent la pièce, en homme habitué à donner des ordres.

— J'observe, dit-il avec un sérieux mortel.

Gus Moran grimaça, et Nick Curran dut se retenir pour ne pas rire. Walker lui fit les gros yeux. Le regard était éloquent : n'emmerdez pas ceux qu'il ne faut pas toucher.

Le coroner sortit ce qui ressemblait à un gros thermomètre à viande du poumon de Johnny Boz. Cela produisit un bruit de succion particulièrement dégoûtant.

— L'heure de la mort ? demanda Walker.

Le coroner lut l'échelle graduée.

— Trente-trois degrés trois. Il s'est refroidi un moment... disons six heures.

Il jeta un coup d'œil à sa montre.

— Ce qui situe le décès à quatre heures du matin, environ.

L'équipe du labo déballait un petit appareil électronique ressemblant à un aspirateur muni d'un pharc, mais un phare projetant un étroit faisceau de lumière verte. C'était l'adjonction la plus récente à la panoplie de la police de San Francisco, un scanner laser capable de détecter toute trace de présence humaine dans la pièce — empreinte digitale, sang, cheveux, peau.

— Alors, que s'est-il passé ? s'enquit Talcott.

— La domestique est arrivée il y a une heure et l'a trouvé, répondit Walker. Elle ne vit pas ici.

— Chouette façon d'entamer la journée, observa l'homme du bureau du coroner.

Le scanner laser était prêt à fonctionner.

— Est-ce que quelqu'un pourrait fermer les rideaux, s'il vous plaît ? demanda l'un des techniciens.

Un policier en uniforme tira les épais voilages et la pièce s'assombrit. La baguette du scanner brilla d'un vert maladif qui, reflété par le miroir tapissant le plafond, teinta les visages des policiers d'un gris cadavérique.

— Alors, peut-être que c'est la bonne qui a fait le coup, dit Gus.

— Elle a cinquante-quatre ans et pèse cent vingt kilos.

— Pas d'hématomes sur le cadavre, dit le coroner.

— C'est pas la bonne, constata Gus, pince-sans-rire. Ç'aurait été tellement plus facile comme ça.

— Boz a quitté le club la nuit dernière vers minuit, dit Andrews. C'est la dernière fois que quelqu'un l'a vu. Vivant, du moins.

— Est-ce qu'il a quitté le club seul ? demanda Curran.

— Avec une amie, dit Harrigan.

— Je suppose, intervint Moran, qu'elle ne pesait pas cent vingt kilos et n'avait pas cinquante ans.

Nick étudia le corps.

— Qu'est-ce qu'on a utilisé ?

— Un pic à glace, répondit Harrigan en lui tendant un sac de plastique transparent.

Il contenait un pic à glace, couvert de sang.

— Très personnel. On l'a approché de près. Jusqu'à le sentir, le toucher. Combien de blessures ?

— Environ une douzaine, répondit le coroner. Trois ou quatre superficielles, mais une huitaine dont n'importe laquelle aurait suffi. Ligoté comme ça il aurait saigné à mort en quelques minutes ; avec une douzaine de blessures il aurait été une foutue passoire, le cou comme une fontaine, bon Dieu !

— Où a-t-on trouvé le pic ? voulut savoir Nick Curran.

— Proprement rangé sur la table du salon.

Le laser découvrit quelque chose sur le lit, des plaques humides apparaissant en sombre comme des hématomes.

— Il y a du foutre partout sur les draps, fit remarquer l'un des techniciens du labo. Presque deux litres.

— Très impressionnant, constata Nick.

— Il a giclé, et puis il a giclé, dit Gus Moran.

— C'est venu et il est parti en même temps, ricana Harrigan.

— Ça suffit, dit sévèrement Talcott. *Messieurs*... nous avons une affaire délicate sur les bras. M. Boz était un élément majeur dans la campagne du maire. Il était président du conseil du palais des beaux arts...

Gus fronça les sourcils.

— Je croyais que c'était une vedette du rock and roll ?

— C'était une *ancienne* vedette du rock and roll, précisa Walker.

— A San Francisco, le rock and roll c est de l'art, Gus, rappela Nick.

— M. Boz était une vedette du rock and roll très respectable et à l'esprit civique, dit sévèrement Talcott.

C'était vrai même de son club de Fillmore. Autrefois ce quartier avait été un lieu de rassemblement pour les amateurs de jazz et de rock and roll pur et dur. A présent c'était un coin très recherché avec des clubs très cotés mais très comme il faut, des restaurants qui servaient la cuisine coûteuse du moment, et des boutiques à la dernière mode.

Tous les flics songeaient que le cadavre sur le lit n'avait plus l'air d'un *monsieur*, et encore moins d'avoir l'esprit civique et respectable.

— Et ça, qu'est-ce que c'est ? s'enquit Gus en se penchant sur un tas de poudre blanche sur un miroir au coin de la table proche du lit.

— Bon Dieu, dit Curran, à première vue je dirais que cela ressemble à de la cocaïne très respectable et à l'esprit civique. Je veux dire, c'est ce que cela évoque pour moi. Je *pourrais* me tromper...

Talcott refusa de se laisser entraîner sur ce terrain. Il parla d'un ton égal, calme, mais on ne pouvait ignorer la froideur dans sa voix.

— Ecoutez-moi, Curran. Je vais être mis sur la sellette dans cette histoire. Je ne veux pas d'erreurs.

Erreurs, dans le lexique de Talcott, était un mot qui ne recouvrait pas vraiment les fautes de procédures policières mais plutôt les bévues qui seraient politiquement dangereuses pour l'administration et sa direction.

— T'as entendu, Gus, rappela Curran. Pas d'erreurs.

— Nous ferons de notre mieux, dit Moran. On ne peut pas demander plus que ça, pas vrai ?

— C'est vrai. Bon, qui était la fille ?

— Elle s'appelle Catherine Tramell, 2235 Divisadero.

— Encore un beau quartier, nota Moran. Nous allons faire une jolie promenade dans Bagdad-sur-Mer. Oh, désolé. J'avais oublié. On ne l'appelle plus comme ça.

— Amène-toi, Gus, dit Curran qui se dirigeait déjà vers l'escalier.

— Talcott s'est levé de bonne heure et il est tout pomponné, constata Gus Moran une fois hors de portée de voix. En général il ne se montre pas avant d'avoir terminé son dix-huitième trou.

— Ouais, rétorqua Curran. Johnny Boz et le maire doivent avoir été très proches.

— Nick !

Ils se retournèrent. Le lieutenant Walker se tenait au sommet de l'escalier.

— Quel est le problème, Phil ? demanda Curran. On devait demander la permission de partir ? Ou quoi ? Partir à reculons ?

— Vous avez rendez-vous à quinze heures. Tâchez d'y être.

— Excusez-moi si je me trompe, Phil, mais est-ce qu'il ne vient pas d'y avoir un meurtre ? Voulez-vous que je travaille sur cette affaire ou que je rencontre le foutu réducteur de tête de l'administration ?

— Soyez au rendez-vous *et* sur le meurtre. Mais faites-nous une faveur à tous, surveillez vos manières.

Curran sourit.

— Est-ce que vous vous contenteriez de deux sur trois ?

— Si vous voulez garder votre boulot, Nick, soyez là-bas à trois heures. Pigé ?

— Ouais, d'accord, pigé.

— Je me sens mieux, constata Phil Walker. Peut-être que ça vous fera du bien à vous aussi.

— Bon sang, dit Gus, tu as un don, Nick. Tu amènes le soleil quel que soit l'endroit où tu vas.

— T'as raison. Maintenant, allons visiter Divisadero.

CHAPITRE DEUX

Si l'on suit l'une des interminables avenues nord-sud qui traversent San Francisco, on passe par pratiquement tous les types de quartiers possibles, toute la palette, du très fortuné au misérable. Ce n'était nulle part plus apparent que sur Divisadero. A une extrémité, près du front de mer, on trouvait des clochards, des ivrognes et des drogués. Sur les hauteurs, vers les numéros 2 200, vivaient les citoyens les plus riches de la ville.

Le 2235 se fondait parfaitement dans le quartier. C'était plus un manoir qu'une maison de ville, avec la même aura d'opulence que celle qui avait sauté aux yeux des deux policiers dans la maison du défunt Johnny Boz.

Aucun des deux ne fut surpris de se voir accueilli par une bonne, et ils n'auraient pas été surpris non plus si elle les avait dirigés vers l'entrée de service, celle utilisée par les livreurs et les domestiques. La bonne était une métisse, très vraisemblablement entrée en fraude aux Etats-Unis, et elle savait reconnaître le visage de l'auto rité lorsqu'elle le voyait. Elle ne parut pas très heureuse.

Ils montrèrent leurs badges en un éclair.

— Je suis l'inspecteur Curran, et voici l'inspecteur Moran. Nous sommes de la police de San Francisco.

La peur passa fugitivement sur le visage de l'employée de maison.

— La police, précisa doucement Moran, pas les services de l'immigration.

La femme n'avait pas l'air plus rassurée.

— Oui, dit-elle. Entrez.

Elle les précéda jusque dans le salon où elle les abandonna. C'était une pièce majestueuse et élégante avec de grandes baies en ogive faisant face à l'est en direction des flots bleus de la baie de San Francisco. A mesure que le brouillard se levait, comme une série de rideaux, la baie se dévoilait progressivement : tout d'abord Angel Island, Alcatraz, le pont de Golden Gate, la presqu'île de Marin County, et les collines de East Bay. Curran et Moran paraissaient impressionnés — les meurtres ne conduisaient généralement pas les policiers dans des endroits aussi élégants.

Un tableau était suspendu au mur de droite et Gus Moran l'examina de près, comme un connaisseur.

— N'est-ce pas mignon, dit-il. Boz avait un Picasso et cette Tramell en a un également. Chacun son Picasso.

— J'ignorais que tu savais qui était Picasso, Gus, et encore plus que tu serais capable d'en identifier un.

— C'est facile, rétorqua l'autre avec un sourire. Il faut juste savoir quoi chercher. Comme, par exemple, une grosse signature. Tu vois. Là, dans le coin ça dit « Picasso ». C'est un indice qui ne trompe pas.

— Ce Picasso est plus gros que l'autre, dit Nick.

— Il paraît que la taille n'a pas d'importance, intervint une jeune femme.

Moran et Curran se retournèrent. Une belle blonde se tenait au pied de l'escalier, elle avait de grands yeux bleus très clairs. Ses pommettes auraient fait l'envie de n'importe quel mannequin. Elle portait une veste brodée noir et or, des jeans noirs serrés, et des bottes de cow-boy. Elle ressemblait au genre de femme qu'une star du rock aimerait avoir à son bras.

— Nous sommes désolés de vous déranger, dit Curran, nous aimerions vous poser quelques...

— Etes-vous des Mœurs ? demanda froidement la femme.

Si elle avait peur de la police, elle parvenait parfaitement à le dissimuler.

— Les Homicides, répondit Nick.

La jeune femme hocha la tête pour elle-même, comme si Curran avait confirmé une chose à laquelle elle s'attendait à demi.

— Que voulez-vous ?

— Quand avez-vu vu Johnny Boz pour la dernière fois ? demanda Gus.

— Il est mort ?

— Pourquoi demandez-vous ça ?

Gus n'avait pas quitté son visage des yeux depuis qu'elle était entrée dans la pièce.

— Eh bien, vous ne seriez pas ici dans le cas contraire, non ?

Un point pour la poulette, songea Nick Curran.

— Etiez-vous avec lui la nuit dernière ? demanda-t-il.

Elle secoua la tête.

— Je pense que c'est Catherine que vous cherchez, pas moi.

— Vous n'êtes pas...

— Qui êtes vous ? le coupa Nick Curran.

— Je m'appelle Roxy.

— Vous vivez ici ? Vous vivez avec Catherine Tramell ?

— Ouais. Je vis ici. Je suis sa... je suis son amie.

— C'est bien d'avoir des amis, constata Gus.

— Où pouvons-nous trouver votre amie, Roxy ?

Elle ne répondit pas immédiatement, mais les fixa. Curran et Moran pouvaient pratiquement la voir réfléchir, préparer son prochain mouvement, cherchant comment protéger au mieux à la fois elle-même et son « amie ». Il y avait en elle un air d'anarchie ; elle semblait être le genre de personne qui n'aime pas fournir des informations même sans importance, à la police. Elle gardait la bouche fermée par principe.

— Vous allez nous le dire ? insista Gus. Ou bien vous préférez vous rendre la vie difficile ?

Roxy hésita encore un moment, puis abandonna.

— Elle est sur la plage. Elle a une maison à Stinson Beach.

— C'est grand, dit Nick. Vous pourriez être un peu plus précise ?

— Seadrift, concéda Roxy. 1 402 Seadrift.

— Eh bien, ce n'était pas si difficile, non ? constata Nick.

Les deux flics se tournèrent pour partir.

— Vous perdez votre temps, dit-elle avec fermeté. Catherine ne l'a pas tué.

— Je n'ai pas dit qu'elle l'avait tué, répondit Nick. Mais peut-être qu'elle a une idée de qui l'a fait. A moins que ce ne soit vous.

Roxy secoua la tête et ricana avec dérision.

— Vous ne croyez pas que vous feriez mieux de partir ? La route est longue jusqu'à Stinson.

— Ouais, dit Gus. Mais c'est une belle journée pour une promenade.

Gus avait raison. C'était une belle journée pour une promenade et le chemin jusqu'à Stinson était ponctué d'agréables points de vue. Le pont du Golden Gate, puis au-delà de Sausalito sur l'autoroute 101 jusqu'à la jonction avec la 1, la célèbre route à flanc de falaise qui sinuait en direction du nord.

La ville de Stinson Beach n'avait pas grand-chose à montrer. Quelques épiceries, quelques bars, quelques boutiques d'artisanat pour les touristes. La population offrait un curieux mélange : des riches, possédant dans le coin une maison du style Malibu, quelques personnes plutôt bohèmes qui s'accrochaient à des souvenirs chéris mais légèrement nébuleux des années soixante, et des gens de la classe ouvrière qui étaient nés et avaient été élevés là, mais qui ne se mélangeaient pas avec les deux autres groupes.

Catherine Tramell paraissait faire partie des riches qui utilisaient Stinson comme terrain de jeu. Sa demeure était en retrait de la route n° 1, précairement suspendue au-dessus de l'océan, tel un balcon offrant des points de vue spectaculaires vues sur la plage et le Pacifique.

Deux Lotus Esprit étaient garées dans l'allée face à la maison. L'une était d'un noir classique, l'autre d'un blanc commun, comme si leurs propriétaires n'avaient pas désiré attirer l'attention sur eux, bien qu'ils aient conduit deux des voitures les plus exotiques sur la route.

Gus Moran nota les voitures et grogna.

— Ça colle, dit-il.

— Qu'est-ce qui colle ?

— Après leurs deux Picassos. Leurs deux Lotus constituent l'étape suivante logique.

— Peut-être que les deux Lotus sont à elle.

— Peu importe. En tout cas, c'est agréable de trouver enfin quelqu'un qui ait une voiture plus rapide que la tienne.

— Plus chère peut-être, rétorqua Nick, mais pas plus rapide.

Ils ne parlaient pas de la voiture de police banalisée, mais du moyen de transport privé de Nick, celui qu'il utilisait lorsqu'il n'était pas de service, une Mustang 5 litres.

La porte d'entrée de la maison était large et majestueuse, et décorée de deux énormes panneaux de verre, dont aucun n'était voilé de rideaux. Rideaux ou pas, l'intimité de ses habitants était assurée par son emplacement, à moins que, comme Nick, vous n'ayez eu honte de rien et jetiez un coup d'œil à l'intérieur.

Le rez-de-chaussée de la maison était un espace ouvert et il pouvait voir sans obstacle depuis la porte d'entrée jusqu'à la terrasse perchée au-dessus de la plage tel un jardin suspendu. Une femme était assise là, le dos tourné vers Nick, observant la mer.

— Tu vois quelque chose ? demanda Moran.

— De l'autre côté, dit Nick en montrant le chemin.

La femme sur la terrasse parut aussi surprise de les voir que Roxy l'avait été, et à peu près aussi heureuse. Elle fixa longuement Nick d'un regard dur, puis détourna les yeux, sa brève curiosité satisfaite, comme si elle trouvait la vue des brisants beaucoup plus intéressante. Ses yeux bleus avaient perturbé le policier. Ils étaient grands mais intelligents et avaient balayé son visage comme un faisceau lumineux, le déchiffrant en un instant.

Tout comme Roxy, elle était blonde et belle, mais, si Roxy avait l'allure d'un mannequin, la beauté de Catherine Tramell était moins sévère, plus classique. C'était le genre de visage qui toisait fièrement le monde du haut des portraits du XVIIIe siècle — le visage d'une noble, d'une aristocrate. Et pourtant, sous cette mine de patricienne affleurait un autre message, une sensualité brumeuse, un feu couvert mais brûlant.

— Madame Tramell ? Je suis l'inspecteur...

— Je sais qui vous êtes, l'interrompit la jeune femme d'un ton neutre.

Elle ne voulait, ou ne pouvait, toujours pas croiser leurs regards. Elle observait l'eau comme si son attitude dépendait de leur tumulte.

— Comment est-il mort ?

— Il a été assassiné, répondit Gus.

— C'est évident. Comment a-t-il été...

— Avec un pic à glace, la coupa Nick.

Elle ferma les yeux un moment, comme pour imaginer le décès violent et sanglant de Johnny Boz, puis sourit doucement, d'un sourire bizarre, cruel, satisfait. Ce sourire sur ce visage flanqua des frissons à Gus. Il se tourna vers son partenaire en haussant les sourcils, ce qui signifiait : cinglée.

Nick ignora l'opinion silencieuse de son équipier.

— Depuis combien de temps sortiez-vous avec lui ?

— Je ne sortais pas avec lui. Je baisais avec lui.

A présent elle se comportait comme une petite fille, proférant des gros mots pour choquer ses aînés. Gus ne fut pas impressionné.

— Alors, qu'est-ce que vous êtes ? Une professionnelle ?

Elle se tourna finalement face à lui, avec toujours ce même sourire sur les lèvres.

— Non. Amateur.

— Depuis combien de temps aviez-vous des relations sexuelles avec lui ?

Elle haussa légèrement les épaules.

— Un an... un an et demi.

— Etiez-vous avec lui hier soir ? demanda Nick.

— Oui.

— Avez-vous quitté le club avec lui ?

— Oui.

— Etes-vous rentrée avec lui ?

— Non.

— Mais vous l'avez vu.

— Je viens de vous le dire.

— Où ? Quand ?

Catherine Tramell soupira, comme si les questions de

Nick était trop ennuyeuses, trop terre à terre pour mériter une réponse.

— Nous avons pris un verre au club. Nous sommes partis ensemble. Je suis venue ici. Il est rentré chez lui.

Elle haussa les épaules, une expression du langage corporel qui signifiait « fin de l'histoire ».

— Est-ce que quelqu'un se trouvait avec vous la nuit dernière ?

— Non. Je n'avais pas le cœur à ça.

Nick avait décidé depuis longtemps qu'il se fichait pas mal de Catherinc Tramell de Johnny Boz ou de l'intérêt du chef de la police pour cette affaire ; le fait qui demeurait était qu'un homme avait été brutalement assassiné. Catherine Tramell traitait ça comme un manquement à l'étiquette et rien de plus.

— Laissez-moi vous poser une question, madamc Tramell, êtes-vous désolée qu'il soit mort ?

Catherine le regarda, ses yeux d'un bleu profond l'effleurant à nouveau, cette fois comme l'une des vagues en bas sur la plage.

— Oui. J'aimais baiser avec lui.

Puis elle se retourna vers l'eau.

— Et ce Boz..., commença Moran.

Elle le coupa net, levant une main, comme un flic interrompant la circulation.

— Je n'ai vraiment plus envie de discuter.

Il en fallait beaucoup pour que Gus perde patience, mais l'attitude de Catherinc Tramell commençait à l'affecter comme elle l'avait fait pour son équipier.

— Ecoutez, madame, on peut faire ça en ville si c'est ce que vous voulez.

Elle ne fut pas désarçonnée pour autant.

— Lisez-moi mes droits et arrêtez-moi. Alors nous descendrons en ville.

Ce n'était pas un défi, c'était l'énonciation d'un fait. Nick avait le sentiment que Catherine Tramell aurait réagi d'une façon bizarrc s'ils l'avaient embarquée.

— Madame Tramell...

— Arrêtez-moi, suivez le règlement, sinon...

— Sinon ? s'emporta Gus. Il n'y a pas de « sinon ».

— Sinon, insista Catherine, foutez le camp d'ici.

Elle tourna à nouveau ses yeux bleus vers eux.

— S'il vous plaît, ajouta-t-elle doucement.

Il y avait beaucoup de flics parmi la police de San Francisco qui pensaient que Curran et Moran étaient du genre à agir sans réfléchir, à avoir des réactions disproportionnées, et à faire ce qu'il ne fallait pas, mais même Nick et Gus n'auraient pas été capables de justifier l'arrestation de Catherine Tramell. Ils n'avaient rien : pas de preuve, physique ou circonstancielle, pas de cause probable. Elle était un tel mystère pour les deux policiers qu'ils n'avaient même pas le moindre soupçon. Ils firent donc ce qu'elle leur avait suggéré. Ils fichèrent le camp.

Ils avaient roulé plus de vingt-cinq kilomètres en direction de la ville avant qu'un des deux ne parle.

— Chouette fille, dit Gus.

CHAPITRE TROIS

Nick arriva à son rendez-vous presque à quinze heures. Il avait poussé la voiture banalisée autant qu'il le pouvait sur l'autoroute 101. Gus avait conduit comme un fou sur le pont du Golden Gate, et maudit les conducteurs qui l'encombraient sur la rive Marin et au goulet d'étranglement du milieu d'après-midi au niveau du Presidio. Malgré tout, la route était longue de Stinson Beach jusqu'aux quartiers généraux de la police, et la pendule indiquait trois heures quinze lorsque Nick poussa la porte du bureau de Beth Garner, psychiatre à demeure du département de la police de San Francisco.

— Je suis désolé, Beth, dit-il en entrant dans la pièce. J'ai été retenu. J'ai dû faire un voyage imprévu jusqu'à Stinson.

Curran paraissait beaucoup plus perturbé que le médecin par son retard à son rendez-vous. Beth Garner était une jeune femme attirante, ayant tout juste la trentaine et deux ans d'ancienneté dans son emploi. Nick Curran était un de ses vieux amis — comme patient et, de façon éphémère, comme amant. Une liaison avec un officier de police — et qui plus est l'un de ceux qui étaient placés sous sa responsabilité professionnelle — constituaient une entorse à la politique de l'administration et une brèche dans l'éthique de sa profession, mais Curran possédait un magnétisme certain. Il était la quintessence du policier, et c'était le genre d'attraction qui l'avait amenée à travailler en premier lieu avec la police.

Elle était réellement heureuse de le voir.

— Comment vas-tu, Nick ?

Curran en savait suffisamment en matière de psychiatrie pour comprendre que lorsque l'on vous demande comment vous allez on ne parle pas seulement de votre état de santé.

— C'est une question piège, Beth. Je vais bien.

— Bien ?

— Allons, Beth ! Tu sais que je vais bien. Combien de temps encore vais-je avoir à subir ça ?

— Tant que l'Inspection générale le souhaitera, dit-elle calmement.

Elle avait l'habitude de l'irritation de Curran. Sa réaction n'était pas très différente de celle des autres flics sous sa surveillance. Quelque part dans l'âme de chaque policier résidait un doute latent sur la psychiatrie. Ils considéraient un peu comme un manque de virilité de devoir parler à un réducteur de tête, et estimaient que cela les rabaissait. Chaque jour les flics de la ville livraient des cinglés ramassés dans les rues à l'hôpital général de San Francisco où ils étaient retenus jusqu'à ce qu'on les envoie à l'hôpital de Napa. Ou bien ils entendaient leurs prisonniers exiger une « évaluation psychiatrique ». Quelle était la différence entre un flic bénéficiant de soins psychiatriques et un cinglé ramassé sur Market Street en train de grommeler qu'il était Jésus-Christ ?

— Ce sont des conneries, grogna Curran. Je le sais. Tu le sais. C'est du harcèlement.

Beth Garner sourit d'un air entendu. C'était bien d'un flic de se replier derrière une expression légale pour contrer quelque chose qu'il n'aimait pas où même craignait.

— Pourquoi ne t'assieds-tu pas ? Nous discuterons. Il n'y a pas de mal à ça.

Curran s'assit, les bras croisés sur la poitrine.

— Ce sont des conneries, affirma-t-il d'un ton définitif.

— Oui. Probablement. Mais plus vite on en terminera avec ces séances et plus vite tu pourras les oublier. Tu sais aussi bien que moi que ce n'est pas moi qui décide de la politique de la maison.

— La politique de la maison, c'est aussi des conneries, dit Curran.

— Pas nécessairement.

— Qu'est-ce que c'est censé vouloir dire ?

— Que tu en aies conscience ou non, Nick, tu dois avoir subi un traumatisme après le... l'incident.

— Bon Dieu ! L'incident ! Pourquoi diable n'appelles-tu pas ça par son nom ? La tuerie. Les morts. Les deux pauvres touristes innocents dans leurs T-shirts de pêcheurs qui se sont trouvés sur le passage des balles provenant du canon d'un automatique 9 mm qui s'avérait être tenu par un certain inspecteur de la police de San Francisco. Et tu veux parler de traumatisme ? Peu importe mon traumatisme ; et le traumatisme qu'on subit quand on est tué par un flic ? *Voilà* ce que j'appelle un traumatisme.

— Donc tu te sens coupable ?

— Pour l'amour de Dieu, Beth, qui ne se sentirait pas coupable ?

— C'est très sain.

— Oh, s'il te plaît...

Beth Garner griffonna quelques notes dans le dossier de Nick dont les feuilles étaient éparpillées devant elle sur le bureau. Elle écrivait d'une petite écriture nette et précise.

— Donc, comment ça va ? demanda-t-elle. Dans ta vie quotidienne ? Tu as du mal à dormir, ce genre de chose ?

Tout va bien. Je te l'ai dit... tout va à peu près aussi bien que...

— Que ?

— Que possible quand on a un boulot comme le mien et que l'administration continue de te traîner ici et d'insinuer que tu es fou à lier.

— Voyons, tu sais que ce n'est pas ce que je te dis, non ? Tu as confiance en moi, non ?

— Oui, répondit doucement Nick Curran.

Et c'était vrai. Pas parce qu'elle était un réducteur de tête avec une blouse blanche et un diplôme, mais parce que, quoi qu'elle puisse être d'autre, ou aurait pu être, elle était avant tout son amie.

— Et en ce qui concerne ta vie personnelle ? Quoi que ce soit à signaler ? Une chose dont tu aimerais me parler ?

— Ma vie personnelle. Oh, tu veux dire ma vie sexuelle. Ma vie sexuelle va bien.

Il s'interrompit et sourit. Il n'y avait vraiment aucune raison de lui mentir.

— Ma vie sexuelle est une vraie merde en ce moment, depuis que j'ai cessé de te voir. Cessé de te voir, sauf sur une base professionnelle.

Il leva une main devant lui, paume en avant.

— Tu vois, je commence à avoir des cals.

— C'est un peu puéril, tu ne crois pas, Nick ?

— Ouais, je crois. Désolé, Beth.

— La boisson ? Tu ne touches plus à l'alcool ?

— Ça fait trois mois, dit-il.

Pour un homme qui avait eu autrefois une lourde accoutumance au Jack Daniel's, trois mois de sécheresse étaient une espèce de record.

— La drogue ?

— Rien.

— Pas de coke ?

— Pas de coke, dit-il avec emphase. Beth, j'émerge. J'ai tout laissé tomber — je ne fume même plus.

Elle sourit. Ne pas fumer, pour un homme sous pression dans un métier qui tenait de la Cocotte minute, démontrait un impressionnant contrôle de soi.

— Comment c'est, de ne pas fumer ?

— C'est la chiotte, rétorqua sèchement Nick.

Il était là depuis près de quinze minutes et sa nervosité prenait le dessus. Il avait envie de s'en aller, de retourner dans la rue et de découvrir qui avait découpé Johnny Boz. Son travail était aussi puissant qu'une drogue.

— Maintenant, Beth, voudrais-tu, s'il te plaît, dire à l'Inspection générale que je vais bien, que je ne suis ni plus ni moins que le flic moyen en bonne santé et totalement déglingué, et me laisser foutre le camp d'ici ?

Beth Garner resta un moment silencieuse avant de répondre. Interrompre ses rendez-vous signifierait qu'elle ne le reverrait plus et pourtant, professionnellement, elle ne pouvait recommander qu'il continue de venir. Il lui semblait qu'il était exactement ce qu'il disait : un inspecteur normal avec un sale boulot à faire — si l'on considérait qu'il existait un inspecteur des Homicides « normal ».

— Je vais faire mon rapport à l'Inspection générale...

— Et ?

— Je leur dirai que tu es juste le flic moyen normal complètement déglingué. Ça te va ?

Curran eut un sourire plein de chaleur.

— Merci, Beth.

Il se dirigea vers la porte du bureau.

— Tu me manques toujours, Nick, dit Beth Garner.

Elle avait parlé doucement, juste assez bas pour qu'il puisse faire semblant de ne pas l'avoir entendue.

Les tracasseries administratives de Nick n'étaient pas terminées pour la journée. Après son rendez-vous avec Beth Garner il quitta la quiétude des services du personnel pour descendre quatre étages plus bas retrouver le chaos sonore du bureau des inspecteurs. C'était le vacarme habituel : sonneries de téléphones, crépitements de machines à écrire et flics costauds cherchant à intimider à la fois les suspects et leurs confrères. Contrôler le taux de criminalité dans une ville comme San Francisco, où tout peut arriver, n'était pas le genre de travail fait pour quelqu'un appréciant un environnement calme. En temps normal, Nick Curran aimait l'anarchie à peine maîtrisée du bureau, acceptant le désordre et le raffut comme s'il s'était agi de son habitat naturel. Ce jour-là, cependant, la confusion qui l'entourait le dérangeait. Elle reflétait trop la nervosité qu'il ressentait : le meurtre de Johnny Boz, l'affection évidente de Beth Garner, le fin sourire de Catherine Tramell et ses yeux trop perspicaces.

Gus Moran le salua avec d'autres mauvaises nouvelles. Le vieux policier se leva péniblement lorsque Nick apparut.

— Talcott est dans le bureau de Walker.

— Fantastique.

— Il observe toujours, je suppose. Il n'a pas eu sa dose d'observation ce matin.

— Ce type est un maniaque de l'observation.

— Comment ça s'est passé avec la brave femme-médecine ?

— Je lui manque beaucoup.

Gus ouvrit la porte du bureau de Walker.

— Bon sang, quand elle s'accouple c'est pour la vie.

La foule dans le bureau du patron des Homicides était à peine moins nombreuse que l'assemblée de flics du matin dans la chambre de Johnny Boz. Harrigan et Andrews étaient les officiers responsables de la découverte du corps et avaient passé la journée au téléphone, à ramasser des informations sur le passé de Boz, sur ses affaires, ses amis et ses ennemis. Ils avaient également collecté les informations relatives à la scène du crime et attendaient Moran et Curran pour pouvoir déballer tout ce qu'ils avaient appris.

Walker paraissait crispé et tendu, rendu irritable par l'attente des deux hommes — mais comme c'était lui qui avait insisté pour que Curran se rende à son rendez-vous avec Garner il ne pouvait pas vraiment se plaindre s'il était un peu en retard. Talcott n'avait rien perdu de la froideur qu'il avait arborée à huit heures du matin.

Nick et Gus avaient à peine franchi la porte que Walker jaillit de son fauteuil.

— Très bien, allons-y.

Comme s'il venait d'être branché, Harrigan commença à lire ses notes.

— Seize blessures à la poitrine et au cou. Pas d'empreintes utilisables, pas d'effraction, rien ne manque.

— En d'autres termes, dit Moran en se laissant tomber dans un fauteuil, rien de rien.

— Laisse-le terminer, dit Curran.

Il emplissait deux tasses avec la cafetière posée sur une table près de la fenêtre, puis en surchargea une de « crème sans matière grasse » et de sucre, juste comme Gus l'aimait.

— J'apprécie ça, Nick, dit Harrigan d'un ton sarcastique, j'apprécie vraiment.

Il n'avait pas passé toute la journée à travailler sur cette affaire pour être snobé par les deux flics.

— A ton service, inspecteur, rétorqua Nick.

Il posa la tasse de café en face de Gus et sirota la sienne.

— Il n'y avait pas d'empreintes sur le pic à glace, précisa Andrews.

Il avait pris la relève de son partenaire comme dans une équipe de catcheurs bien entraînée.

— C'est un IDM...

— I, dé, em ? demanda Talcott.

— Indice de merde, traduisit Gus.

Il réfléchit un bref instant et ajouta :

— Capitaine.

— On peut acheter ce genre de pic à glace dans un millier de magasins — K-Mart, quincailleries, drugstores, même chez Andronico. On pourrait mettre cinq cents flics là-dessus et ne jamais trouver son origine.

— L'écharpe ? demanda Curran.

— Coûteuse. Hermès — six cents dollars.

Harrigan secoua la tête avec émerveillement.

— Six cents dollars pour une écharpe. Qui a du fric à ce point-là ?

— Les gens riches, proposa Gus.

— Ouais, je sais, mais six cents dollars. Pour une *écharpe* ?

— Harrigan..., intervint Walker sur un ton signifiant « finissons-en ».

— J'ai vérifié chez Hermès — il y a une boutique à Union Square — ils en vendent huit ou dix par semaine ici en ville. Il y a deux boutiques à Marin qui en ont également, et un autre Hermès à San Rafael, encore huit ou dix là-bas. Plus vers Noël, à ce qu'on m'a raconté. L'un dans l'autre, Hermès m'a dit en vendre environ vingt mille par an dans le monde entier. Cela fait douze millions de dollars par an, pour des *écharpes*. Bordel.

— Nous pourrions nous concentrer sur les ventes à proximité de la baie, dit Walker. Ce n'est pas impossible. Si elle l'a achetée, merde je ne sais pas, à Hong Kong ou à Paris ou ailleurs, alors nous n'aurons aucune chance de remonter la piste.

— Elle ? demanda Moran. Comment savez-vous qu'il s'agit d'une femme ?

— Des indices indiquant qu'il avait une relation sexuelle avec un homme ?

La question de Walker était dirigée vers Andrews et Harrigan.

Les deux inspecteurs secouèrent la tête.

— Aucun.

— C'était une nana, Gus.

— Ouais, approuva Andrews, il n'y a rien dans la bio de Boz qui suggère un intérêt pour les mecs.

— Pas de garçons pour Boz, constata Gus.

— Parlez-nous de lui, demanda Curran.

— La poudre *était* de la cocaïne, Nick...

Curran et Talcott échangèrent des regards semblables au croisement de deux épées.

— ...bonne qualité, fort pourcentage. Cette merde était nettement plus pure que tout ce que les narcs ont trouvé dans la rue récemment. La plus grande partie de ce qui arrive est de la mauvaise qualité, pour le crack. Ça, c'était de la poudre de haute qualité, de la poudre des années quatre-vingt, le grand style des années Reagan.

— Certaines personnes sont tellement démodées, constata Moran. Siiiii hors du coup.

Tous les flics — y compris Walker, mais pas Talcott — durent rire. La dernière chose à la mode qu'ait faite Gus Moran avait été d'acheter un costume de sport et cela remontait à 1974. Il le portait encore de temps à autre, au grand embarras de ses collègues.

— Ouais, poursuivit Andrews, il en a inhalé ; il y a des traces sur ses lèvres et son pénis...

— Il l'a inhalée par la queue ? demanda Moran.

Andrews sourit.

— Allons, Gus, laisse-moi terminer — Boz laisse environ cinq millions de dollars, pas d'héritier et pas de casier judiciaire si on ne tient pas compte d'une plainte déposée contre lui et son groupe pour avoir saccagé une chambre d'hôtel en 1969. Il a payé une amende, remboursé les dégâts et il est parti.

— Nous savons qu'il aimait sa coke, dit Harrigan en prenant la suite. Il aimait ses filles, il aimait son rock and roll.

Nick Curran prit une gorgée de café.

— Il aimait aussi le maire, non ?

Talcott lui jeta un de ses regards certifiés pur acier.

— D'accord, intervint Walker, et en ce qui concerne les filles ?

— Il y en avait quelques-unes, toutes du genre groupies provenant de son club. Sa petite amie, sa régulière, sa poule, sa femme, sa plus belle prise — c'était Catherine Tramell.

Talcott redressa la tête.

— Est-ce qu'elle a quelque chose à voir là-dedans ? Est-elle suspecte ?

— Nick ? demanda Walker.

Curran haussa les épaules et but son café.

— Gus ?

— Je dois confirmer l'estimation de mon collègue en ce qui concerne la culpabilité de Mme Tramell.

— Bien, dit Walker, laissez-moi vous donner mon avis. Elle est suspecte.

Tout le monde parut surpris, mais Talcott bondit comme s'il venait juste de recevoir une décharge électrique.

— Sur quelle base ?

Walker avait ses propres notes.

— Catherine Tramell. Trente ans. Pas d'antécédents, pas de condamnations. Diplômée avec mention à Berkeley en 1983. Dans deux domaines : littérature et psychologie. Fille de Marvin et Elaine Tramell.

— Ce n'est que du matériel provenant du Who's Who, constata Talcott.

— Et pourquoi serait-elle dans le Who's Who ? demanda Curran d'un ton innocent. C'est le genre rat de bibliothèque, intelligente. Elle est allée à Berkeley, bon Dieu — une bonne école publique. Pas comme ces élitistes de Palo Alto.

Malgré lui, Talcott eut un geste pour dissimuler la chevalière de Stanford à sa main droite.

— Pas vraiment une fille du peuple, Nick, dit Walker.

— Je sais, je l'ai rencontrée.

— A-t-elle mentionné qu'elle était orpheline ? — Ah, c'est trop triste, dit Gus. Ça me noue les tripes, vraiment.

Walker revint à ses notes.

— Catherine Tramell — seule survivante des sus-mentionnés Marvin et Elaine Tramell qui furent tués en 1979 dans un accident de bateau. La petite Catherine, âgée de dix-huit ans à l'époque, était leur seule héritière — de cent dix millions de dollars.

— Waouh, souffla Harrigan.

Le chiffre sembla rester en suspens dans la pièce un moment.

Nick secoua la tête comme pour s'éclaircir les idées.

— Vous me racontez des blagues ? Elle vaut tant que ça ?

— Cent dix millions, répéta Walker.

— Pour ceux d'entre vous qui ne savent pas compter, dit Gus, c'est un onze suivi de sept zéros.

— Je n'arrive pas à voir, dit Talcott, en quoi la fortune personnelle de Mme Tramell fait d'elle une suspecte dans une affaire de meurtre.

— Attendez. Ça s'améliore. Elle n'est pas mariée...

— Je suis libre, dit Gus. Vous savez, il y avait un je-ne-sais-quoi, chez cette fille, qui me donnait envie de prendre soin d'elle. Vraiment.

— ...mais elle a été fiancée, une fois, à un certain Manuel Vasquez.

— Son jardinier ? suggéra Harrigan.

— Manuel Vasquez ? demanda Nick. Attendez une minute... nous ne parlons pas de *Manny* Vasquez, n'est-ce pas ?

— Lui-même, dit Walker.

— Vous devez vous foutre de moi, dit Andrews.

— Impossible, affirma simplement Harrigan.

— Qui ? Qui ? demandait Talcott avec anxiété.

— C'est pas possible, dit Moran.

— Ils ont même fait publier les bans, dans le bel Etat du New Jersey.

— Qui ? Qui ?

Talcott se trémoussait dans son fauteuil comme quelqu'un qui a manqué la chute d'une histoire drôle alors que tous les autres sont pliés de rire.

Harrigan mit fin à ses souffrances.

— Manny Vasquez, capitaine, vous vous souvenez ?

Le boxeur. Poids mi-lourd. C'était un bon boxeur, de grands mouvements, une bonne droite...

— Mâchoire de verre, précisa Nick.

— Je ne vois pas. Talcott paraissait perplexe.

— Souvenez-vous, capitaine. Manny Vasquez a été tué au cours d'un combat, sur le ring. Ça a causé un sacré remue-ménage à... où était-ce ?

— Atlantic City, New Jersey, indiqua Walker. Septembre 1984.

— J'adore ça, dit Nick. Elle possède cent millions de dollars. Elle baise des boxeurs et des chanteurs de rock. Et elle a un diplôme de psychiatre.

— Mais rien de tout ça n'en fait une candidate pour le meurtre de Johnny Boz, protesta Talcott. Il n'y a rien là qui suggère un seul instant qu'elle ait eu une quelconque raison de le vouloir mort. La vie privée des gens ne concerne qu'eux.

— Particulièrement à San Francisco, dit Gus, à personne en particulier.

— Je n'ai pas terminé, reprit Walker.

— Oh, laissez-moi deviner, dit Nick. Elle était acrobate dans un cirque ? Non ? Alors c'était un homme ? Elle a changé de sexe, c'est ça ?

— Vous avez oublié son diplôme de littérature, Nick. Elle est écrivain...

— Ennuyeuse, dit Moran.

— Pas vraiment. Elle a publié un roman l'an dernier, sous un pseudonyme. Vous voulez savoir de quoi ça parlait ?

— Attendez... dit Nick. Je parie que je peux deviner.

— J'en doute, dit Walker.

— Donc elle a publié un roman, constata Talcott. Il n'y a rien de répréhensible là-dedans.

— Je ne dis pas que ce soit le cas, mais l'intrigue est, comment dire, un peu inhabituelle.

Walker fit une pause dramatique.

— Cela parle d'une ancienne star du rock qui est assassinée par sa petite amie.

Les rires cessèrent.

— Je pense que je ferais bien de passer un peu de temps avec ce livre, dit Nick.

Tard dans la nuit, Nick était assis seul dans son appartement, lisant avant de s'endormir *L'amour fait mal*, par Catherine Woolf. Nick avait déjà jeté un coup d'œil à la quatrième de couverture. Il y avait une photo de l'auteur et une brève biographie tenant en deux lignes : Catherine Woolf vit dans le nord de la Californie, où elle travaille sur son troisième roman. Soudain, alors qu'il dévorait page après page, il cessa de lire, posa le livre, et agrippa le téléphone. Il pianota rapidement le numéro de Gus.

Avant même que ce dernier ait pu se plaindre de l'heure tardive, Nick lui jeta :

— Page soixante-sept, Gus. Sais-tu comment la fille tue son amant ? Avec un pic à glace, dans le lit, alors qu'il a les mains liées par une écharpe blanche.

Nick raccrocha sur un silence stupéfait.

CHAPITRE QUATRE

Tous ceux qui se retrouvèrent le lendemain matin dans le bureau de Walker avaient une copie du livre de Catherine Woolf, *L'amour fait mal*. Nick avait lu l'ouvrage la nuit précédente et n'était pas certain de ce qu'il en pensait. Il ne connaissait pas grand-chose en littérature et ça ne l'intéressait pas de toute façon. Il lisait rarement autre chose que les rapports de police et le *San Francisco Chronicle*, mais il pouvait sentir le pouvoir de l'écriture et l'agaçante précision de la scène du meurtre. Une douzaine de fois au cours de la nuit, alors qu'il lisait le roman, il était revenu jusqu'à la page indiquant le copyright. Là, en noir et blanc, s'étalait la dure vérité : le livre avait été publié un an et demi avant la mort de Johnny Boz. La vie — ou plutôt la mort — imitant l'art.

Toute l'équipe s'était à nouveau rassemblée chez Walker, y compris Talcott. Ils furent rejoints par Beth Garner et un homme plus âgé, le docteur Lamott. Il ne faisait pas partie des forces de police, et les flics présents dans la pièce le toisaient d'un œil soupçonneux, comme ils l'auraient fait de tout civil.

Beth Garner fit les présentations.

— Le docteur Lamott enseigne la pathologie du comportement psychotique à Stanford. Je pense qu'il serait bon de lui demander de servir de consultant sur cette affaire. C'est un domaine où je ne suis vraiment pas experte.

— Docteur Lamott, demanda Talcott comme s'il préparait déjà un procès contre l'expert, est-ce que cela vous ennuierait que je vous pose une question ?

— Je suis là pour ça, capitaine.

— Avez-vous une expérience pratique du travail avec les forces de l'ordre ?

Chaque flic dans la pièce pensa à la même chose : comme si toi, tu en avais une. Walker les dévisagea tour à tour, espérant que personne ne l'exprimerait à voix haute.

— Je suis membre du département de la justice, service des Profils psychologique, dit-il.

— Ah, dit Talcott. C'est suffisant.

Un point pour le réducteur de tête, songea Nick.

Walker reprit le contrôle de la situation.

— Le docteur Garner vous a fait part des grandes lignes de l'affaire, nous serions tous intéressés d'entendre ce que vous pourriez avoir à dire...

— En fait c'est très simple, dit Lamott comme s'il faisait un cour à un groupe d'élèves. Il y a là deux possibilités. Une : la personne qui a écrit ce livre est votre meurtrière et a rejoué le meurtre décrit selon un rituel allant jusqu'au plus petit détail.

— Est-ce que la classe sociale, la richesse, le rang social ou l'éducation de l'auteur auraient une quelconque influence en ce domaine ? s'enquit Talcott.

Lamott sourit.

— La folie ne tient pas compte des classes, capitaine.

— La seconde possibilité, docteur ? demanda Walker.

— Egalement très simple — et sans rapport avec une classe sociale : quelqu'un a été très affecté par la lecture de ce livre et a désiré jouer les événements qui y sont décrits. Cela pourrait provenir d'un désir inné, personnel, ou, peut-être, d'un désir inconscient de nuire à l'auteur du livre.

— Et la victime ? Le mort ? demanda Moran.

— Il n'était rien de plus que le moyen de parvenir à une fin. Si la victime visée était l'auteur du livre, alors le tueur a joué le meurtre tel que décrit pour l'incriminer. Pour l'humilier en public, peut-être.

— Et si l'écrivain l'a fait ?

Nick observait le médecin, comme s'il ne lui faisait pas tout à fait confiance.

— A quoi avons-nous affaire si l'auteur a joué sa propre création ?

La question ne parut pas surprendre le psychiatre.

— Dans tous les cas, nous avons affaire à une personnalité profondément perturbée. Il est difficile d'assigner un degré de malignité à des désordres psychotiques, mais en termes profanes, « meurtre copié » est un peu plus facile à comprendre.

— Mais l'écrivain, persista Nick. Et si c'était elle ?

Le docteur fut clair.

— En ce cas, vous avez affaire à un esprit dérangé, diabolique. Ce livre doit avoir été écrit des mois, peut-être des années avant d'être publié. Le crime a été commis, sur le papier, bien en avance sur l'événement réel.

— Mais si le crime a déjà été commis, remarqua Nick Curran, pourquoi se donner la peine de le rejouer dans la vie réelle ?

— Normalement, cela aurait dû suffire — plus que suffire. Un fantasme, même couché sur le papier et publié, suffit en général. *Normalement.* Mais il n'y a rien de normal là-dedans. Le crime lui-même, ou le fait que ce soit un crime copié...

— C'est le moins qu'on puisse dire, constata Andrews.

— Le crime a été planifié par l'écrivain de nombreux mois avant qu'elle ne le commette. Cela indique un fait indiscutable : un comportement obsessionnel psychotique non seulement pour ce qui concerne le meurtre lui-même, mais également en termes de mécanisme de défense préparatoire.

Beth Garner parut être la seule à avoir compris. Les visages des cinq policiers étaient tournés vers le médecin, inexpressifs. Gus Moran n'avait pas peur de passer pour un idiot.

— Par moments je suis con comme un balai, doc, dit-il en souriant. Mais qu'est-ce que vous venez de dire ?

— Elle a préparé le livre pour qu'il lui serve d'alibi, expliqua Beth Garner. C'est bien ça, docteur Lamott ?

— Absolument.
— Elle a écrit son alibi, répéta Gus. Elle a prévu tout ça une chiée de temps en avance et un jour elle se dit « Hé, aujourd'hui je bute Johnny Boz », juste comme ça.
— Le mécanisme déclenchant le comportement psychotique nécessite encore de longues recherches, dit le docteur Lamott d'un ton léger.
— En fait c'est très intelligent, intervint Beth Garner.
Il y avait presque de l'admiration dans sa voix.
— Elle va dire : pensez-vous que je sois suffisamment idiote pour tuer quelqu'un exactement de la façon que j'ai décrite dans mon livre ? Je ne ferais pas ça parce que je saurais que je serais soupçonnée.
— Ouais ?
Nick examinait tous les angles.
— Et si ce n'est pas l'écrivain ? Si c'est juste quelqu'un qui a lu le livre et pensé : « bonne idée ».
— Alors je n'aimerais pas être à votre place, constata le docteur Lamott.
— Mis à part le fait que personne, mais *vraiment* personne, n'aimerait être à notre place, docteur Lamott, dit Nick en grimaçant, pourquoi n'aimeriez-vous pas, *vous*, y être ?
— Parce que vous avez affaire à quelqu'un de tellement obsédé qu'il ou elle...
— Elle, dit Harrigan. Je pense que nous avons clairement établi ce point.
— Très bien, concéda Lamott, *elle* est tellement obsédée qu'*elle* est prête à tuer une victime innocente — ou du moins quelqu'un à qui elle n'a rien à reprocher — uniquement pour faire porter le blâme sur la personne qui a écrit le livre.
— Mais pourquoi ?
— Nous n'en avons aucune idée. Mais nous savons que vous avez affaire à une personne éprouvant une haine puissante, et profondément ancrée, envers l'auteur et une absence totale de respect pour la vie humaine.
Gus Moran hocha la tête.
— Pigé, doc. Vous êtes en train de nous dire qu'on a

là une cinglée grand modèle, comme on n'en rencontre qu'une seule dans toute sa vie, c'est ça ? Quelle que soit la façon dont on envisage les choses, on en arrive là, c'est ça ?

Le docteur Lamott ne pouvait pas vraiment s'abandonner au langage vernaculaire, et plus spécialement à celui de l'inspecteur Gus Moran.

— Disons simplement que vous avez affaire à quelqu'un de très dangereux et de très malade.

— Une cinglée, dit Gus. Une fêlée.

— Si vous devez voir les choses ainsi, concéda le docteur Lamott. Oui.

— Je le dois, acquiesça Moran. Une fêlée.

— A part ça quoi de neuf ? demanda Nick Curran, songeant aux yeux de la jeune femme.

— Très bien, dit Walker. Docteur Lamott, je tiens à vous remercier au nom de tout le service pour l'aide que vous nous avez apportée.

— Ce fut un plaisir, lieutenant.

— Nick, Gus. On va chez le procureur.

John Corelli, l'assistant du District Attorney, était trop gros et arborait, en plus d'un rouleau de graisse, l'air perpétuellement fatigué qui allait avec son travail ingrat. Il n'était pas heureux de voir Walker et ses hommes des Homicides. Le meurtre de Johnny Boz dans ses plus horribles détails avait fait la une des journaux dans les grandes largeurs. Et pas seulement celle des locaux. Les chaînes de télévision et les médias les plus importants de New York et Los Angeles avaient envoyé leurs meilleurs journalistes pour couvrir l'événement. Il n'y avait rien de tel qu'un bon meurtre pour faire remonter les tirages et les indices d'écoute. Et il n'y avait rien de tel qu'un bon meurtre pour faire la réputation d'un procureur — mais seulement s'il pouvait amener un accusé plausible devant un jury et le faire condamner sans l'ombre d'un doute.

Il n'y avait pas de description de Catherine Tramell. L'arrestation d'une belle héritière ferait monter la température des médias, mais cela chaufferait encore plus pour Corelli — et il ne tenait pas à se brûler ; pas là-dessus.

Il eut vite fait d'écarter toute suggestion d'amener Catherine Tramell devant un grand jury.

— Il n'y a pas de preuve, dit-il en courant presque dans les couloirs du palais de justice. Voyez les choses en face. Vous n'avez pas d'affaire.

Gus Moran lui fit pratiquement un croc-en-jambe pour le contraindre à s'arrêter.

— Elle n'a pas d'alibi, John, dit-il presque en suppliant.

— D'accord. Elle n'a pas d'alibi. La belle affaire. On ne peut pas prouver qu'elle était sur place. Donnez-moi un cheveu. Donnez-moi du sang. Donnez-moi du fluide vaginal. Du rouge à lèvres. N'importe quoi — alors, peut-être qu'on pourra en reparler. Je ne veux même pas mentionner le fait qu'elle n'a pas de motif.

— Le plaisir, proposa Nick. Elle l'a fait pour le plaisir, pour mettre un peu de piment dans sa vie.

Corelli le regarda et secoua la tête comme s'il lui faisait pitié.

— Nick... Otez-vous de mon soleil, s'il vous plaît.

— Si ce n'est pas elle, dit Walker, alors qui ?

— Fort heureusement, répondit Corelli, ce n'est pas mon problème. Et, pour parler comme un avocat, laissez-moi vous dire que ça ne devrait pas être le vôtre non plus, Walker. Vous devez avoir une cause probable de sa culpabilité, pas des causes probables qui éliminent toutes les autres personnes de la ville de San Francisco. Le fait que ce ne soit pas l'une des autres ne signifie pas que ce soit *elle*. Compris ?

— Alors, bordel, qu'est-ce qu'on fout, John ? demanda Nick.

— Je ne sais pas. Je m'en fous.

Il se dégagea et fila vers l'ascenseur, pressant le bouton pour descendre comme s'il voulait le tuer.

— Croyez-moi, je ne peux pas l'inculper. Et même si je le faisais, ses défenseurs auraient ma peau avec cette histoire de copie de crime. N'importe qui ayant lu le livre aurait pu le faire.

— Pouvons-nous la convoquer ? demanda Walker.

Les portes de l'ascenseur s'ouvrirent et Corelli y entra.

— Si vous voulez poser votre cul dans une fronde, pour citer Conrad Hilton, je vous en prie.

Les portes de l'ascenseur commencèrent à se refermer, mais Nick interposa sa main et les arrêta. Les policiers s'entassèrent tous dans la petite cabine avec Corelli.

— Conrad Hilton, dit Gus Moran, j'aime ça. Peut-être que je m'en servirai un jour.

— Je vais à la cour, plaida l'assistant du District Atorney. Allons, les gars...

— Qu'est-ce qu'on est censés faire de ça, Corelli ? demanda Nick. Laissez-moi deviner, vous allez suggérer qu'on ne fasse rien, c'est ça ?

— C'est un bon départ, dit Corelli. Puis, quand vous n'aurez rien fait en ce qui concerne Catherine Tramell, ne faites rien à nouveau jusqu'à ce que vous l'ayez fait dix ou douze fois.

— Je propose de l'amener ici pour l'interroger, insista Walker. On ne peut pas avoir d'ennuis pour ça, non ?

— Si, dit Corelli.

— Catherine Tramell a suffisamment d'argent pour griller tout le Département, les avertit Talcott.

— Elle a été la dernière personne à être vue avec Johnny Boz. C'est assez pour un interrogatoire de routine, non ?

— Nick, s'il s'agissait d'une clocharde de Market Street je dirais allez-y. Qu'est-ce que ça peut foutre ? Mais c'est une foutue héritière.

— J'en prendrai la responsabilité, dit Walker.

Tout le monde attendait la réaction de Talcott.

— Allez-y, Walker — vous en prenez toute la responsabilité. Si vous la voulez.

— PVC, murmura Gus Moran. Au cas où vous ignoreriez ce que ça signifie, c'est « Planquez votre cul ».

— Je ne la veux pas, capitaine Talcott, dit Walker, mais je la prendrai.

— Elle est à vous, dit sèchement Talcott.

L'ascenseur atteignit le rez-de-chaussée, les portes s'ouvrirent et le groupe se déversa dans le couloir.

Corelli ouvrait la voie, en secouant la tête. Il avait l'air d'un homme très malheureux.

— Cela ne vous mènera à rien. Elle valsera avec un ténor du barreau qui nous collera tous contre le mur pour avoir gaspillé l'argent des contribuables les plus riches de San Francisco.

Il s'arrêta et tendit un doigt en direction de Walker.

— Et le fait que vous en preniez la responsabilité ne vaudra pas un pet de lapin, lieutenant. Elle nous grillera le cul.

— C'est exactement ce qu'elle fera, confirma Talcott.

— Non, elle ne le fera pas, dit doucement Nick.

Ils s'arrêtèrent tous et le fixèrent. Nick avait parlé avec une telle autorité et une telle force qu'il paraissait savoir quelque chose que les autres ignoraient, comme s'il avait eu une ligne directe avec les pensées de Catherine Tramell.

— Ah non ? demanda Corelli. Qu'est-ce qui vous rend si sûr de ça ?

Nick sourit, de son sourire entendu.

— Je ne pense pas qu'elle se cachera derrière quelqu'un. En fait, je serais prêt à parier qu'elle ne se cachera pas du tout.

— Mais comment le *savez*-vous ? persista Corelli. C'est une erreur qu'aucun de nous ne peut se permettre — et vous moins que quiconque, Curran.

— J'ai dit que j'en prendrais la responsabilité, dit Walker.

— Ouais, mais sur une intuition de Curran ?

Corelli ne parvenait pas vraiment à croire qu'un lieutenant de police responsable et sérieux comme Walker pouvait seulement envisager de faire une chose aussi folle que celle-là.

— Elle ne se cachera pas, dit Curran. Ce n'est pas son style. Prendre des risques excite Catherine Tramell.

Talcott secoua la tête.

— Alors elle est aussi folle que vous l'êtes, Curran.

— Hey, capitaine, dit Gus Moran, vous connaissez le dicton : il faut en être un pour en reconnaître un autre.

CHAPITRE CINQ

Nick Curran ne l'aurait pas admis — pas envers Gus, pas même envers lui-même — mais il avait envie de revoir Catherine Tramell. Durant les vingt-quatre heures qui s'étaient écoulées depuis qu'ils s'étaient rencontrés, il avait pensé à elle presque constamment. Il n'était pas attiré seulement par sa beauté, il y avait autre chose en elle qui le fascinait. Il laissait son esprit réentendre chacun des mots qu'ils avaient échangés durant leur brève entrevue de la veille ; lire son livre, *L'amour fait mal*, lui avait ouvert une fenêtre sur son psychisme. Sur la route le ramenant en direction de Stinson il se surprit à savourer à l'avance la rencontre qui s'annonçait, à goûter par anticipation le spectacle de son comportement à présent que les autorités avaient décidé qu'elle était soupçonnée dans une affaire de meurtre.

La petite fille riche trop gâtée jouant avec le feu n'était pas une nouveauté pour la police, même pour les inspecteurs des Homicides, mais en général lorsque les choses tournaient au vinaigre les filles riches plongeaient à couvert derrière leur famille et leurs avocats, ainsi que Corelli et Talcott l'avaient prédit. Mais Nick savait, il le sentait jusque dans ses os, que Catherine Tramell ne jouerait pas le jeu de cette façon là, pas tout de suite, du moins. Il avait envie de la revoir, envie de voir jusqu'où on pouvait la pousser — et comment elle pousserait en retour.

Elle ne parut pas surprise de les voir — en fait, pendant une fraction de seconde son visage arbora une touche de plaisir, comme si elle était excitée qu'ils se montrent à nouveau à sa porte.

Elle était vêtue simplement d'un short et d'un sweat-shirt, sur la poitrine duquel le logo de Cal-Berkeley achevait de s'effacer. Elle n'était pas maquillée et sa peau semblait irradier la fraîcheur. Ses yeux étaient clairs. Elle n'avait pas passé la nuit à se languir pour son petit ami perdu.

Nick en vint tout de suite au but de leur visite.

— Madame Tramell, nous aimerions que vous nous suiviez en ville pour répondre à quelques questions.

Elle le fixa un long moment, ce léger sourire sur les lèvres.

— Est-ce que vous m'arrêtez ? demanda-t-elle.

— Si c'est ainsi que vous voulez procéder.

— Juste par curiosité, est-ce que ce serait le grand jeu, la lecture des droits, les menottes, un appel téléphonique... ?

— Juste comme dans les films, ma'ame, dit Gus.

— Est-ce que ce sera nécessaire ? demanda Nick.

Catherine Tramell hésita un instant, comme sur le point de les forcer à abattre leur jeu. Puis elle parut se raviser.

— Non, je ne pense pas que ce sera nécessaire.

— Alors allons-y, dit Nick. La route est longue jusqu'à la ville.

— Hum... Puis-je passer un vêtement plus approprié ? Je n'en aurai que pour une minute ?

Gus Moran et Nick Curran hochèrent la tête.

— Bien, dit-elle avec un sourire.

Elle ouvrit la porte en grand et leur fit signe d'avancer.

— Entrez et asseyez-vous, dit-elle avant de disparaître dans une pièce adjacente au salon.

La villa sur la plage était un autel au design modern, meublé de créations futuristes en fer forgé noir mat et chromes étincelants.

Les meubles, les tableaux étaient beaux, mais c'était ce qui se trouvait sur la table basse devant eux qui retint véritablement leur attention. C'était une pile de coupures de presse jaunies, de longs articles provenant des deux principaux quotidiens de San Francisco, le *Chro-*

nicle et *l'Examiner*, avec des gros titres que Nick Curran ne connaissait que trop bien.

LE POLICIER DES STUPS ACQUITTÉ DU MEURTRE DES TOURISTES, hurlait la une de l'*Examiner*. LES MORTS SONT ACCIDENTELLES PROCLAME LE GRAND JURY, disait le *Chronicle*. Il y avait des articles des deux journaux les plus connus de la contre-culture également, le *East Bay Express* et le *Guardian*. Il y avait de longs articles établissant que Nick n'était pas coupable, mais seulement parce qu'il avait été victime des mœurs d'un système antique qui faisait un crime de la vente et de la possession de drogues.

Nick avait l'impression d'avoir reçu un coup de poing en pleine mâchoire. Il ne pouvait faire autrement que revoir sa propre histoire lamentable, son propre visage, figé pour l'éternité en une grimace menaçante saisie par le photographe de l'*Examiner* sur les marches du palais de justice. Même lui devait admettre que, loin de paraître innocent, cette image lui donnait l'air plus coupable que le diable.

— On dirait que tu as un fan-club, Nicky, murmura Gus Moran.

— Combien de temps cela va-t-il prendre ? appela Catherine depuis la chambre.

Nick dut faire un effort pour garder une voix calme.

— Difficile à dire. Cela dépendra de ce que vous avez à nous dire.

— Alors ce ne sera pas très long.

Soudain Nick réalisa qu'il pouvait la voir reflétée dans le grand miroir placé dans un coin de la chambre. Il l'observa par la porte entrouverte, se demandant si c'était innocent où si elle le narguait délibérément. Elle glissa hors de son sweat-shirt et de son jean serré avec un grand naturel et se tint debout, nue au milieu de la pièce, lui tournant le dos. Elle ôta le bandeau dans ses cheveux et secoua la tête pour les laisser retomber sur ses épaules avant de les rouler en un chignon.

Nick la fixait.

— Vous gardez toujours de vieux journaux chez vous ? demanda-t-il sans quitter des yeux le spectacle dans le miroir.

Elle prit une robe légère dans la penderie et se glissa dedans. Elle ne mit pas de sous-vêtements.

— Je les garde, répondit-elle, lorsque j'estime que leur lecture est intéressante.

Elle sortit de la pièce.

— Prête, dit-elle en reposant la brosse.

— Vous savez, dit Gus Moran en se levant, nous devrions vous avertir que vous avez le droit de demander l'assistance d'un avocat.

— Pourquoi aurais-je besoin d'un avocat ?

— Certaines personnes se sentent plus à l'aise si elles ont un avocat près d'elle quand elles sont interrogées par la police, dit Gus. Ça arrive tout le temps.

— Inspecteur Moran, dit Catherine Tramell, je ne suis pas certaines personnes.

— J'avais remarqué, dit Gus.

Catherine Tramell était assise à l'arrière derrière Gus et il parvenait à lui jeter un coup d'œil tous les quelques kilomètres.

Ils avaient parcouru plusieurs kilomètres avant que Catherine ne rompe finalement le silence. Elle se pencha en avant dans son fauteuil pour s'adresser à Nick.

— Avez-vous une cigarette ? demanda-t-elle.

— Je ne fume pas.

Elle secoua doucement la tête.

— Si, vous fumez.

— J'ai cessé.

— Félicitations.

Elle se renfonça dans son fauteuil, fouillant dans son sac. Un moment plus tard, elle glissa une cigarette entre ses lèvres et l'alluma, exhalant la fumée avec exubérance.

— Je croyais que vous n'aviez plus de cigarette, remarqua Nick.

— J'en ai trouvé dans mon sac. Vous en voulez une ?

Elle lui tendit le paquet.

— Je vous l'ai dit, j'ai cessé.

Elle eut son sourire narquois.

— Ça ne durera pas.

— Merci, dit-il amèrement.

Gus jeta un coup d'œil à son partenaire, craignant que Catherine Tramell ne déclenche le tempérament coléreux de Nick.

— Donc, dit Gus aimablement en essayant de diriger la conversation vers un terrain plus sûr, vous travaillez sur un autre livre ?

— Oui, c'est vrai.

— Ce doit être vraiment quelque chose — inventer des trucs tout le temps comme ça.

— C'est une expérience enrichissante, dit Catherine Tramell. On apprend beaucoup de choses.

— Sans blague. Qu'est-ce que vous apprenez ?

— Ecrire vous apprend à mentir, dit-elle sèchement.

Oh, bon Dieu, songea Gus, la glace est vraiment fine autour de cette femme.

Chaque mot qu'elle proférait était chargé de double sens.

— Comment cela ? Qu'est-ce que vous voulez dire, ça vous apprend à mentir ?

— Vous inventez des choses, mais elles doivent être crédibles, expliqua-t-elle comme si elle donnait un cours d'écriture à un groupe d'élèves venant de débarquer à Berkeley. Il y a même un nom pour ça...

— Vraiment ? Qu'est-ce que c'est ?

— Cela s'appelle la suspension de l'incrédulité.

Gus éclata de rire.

— J'aime ça.

Il regarda Nick dans la glace.

— Tu entends ça, Nick ? « Suspension de l'incrédulité ». J'aimerais pouvoir suspendre non incrédulité — en permanence. Qu'est-ce que tu dis de ça, Nick ? Tu veux suspendre ton incrédulité ?

— Ça vaudrait le coup d'essayer.

— Ce n'est pas aussi facile que ça le paraît, dit Catherine en secouant sa cigarette dans la direction approximative du cendrier.

Ils parcoururent quelques kilomètres de plus sur la route sinueuse. Cette fois, ce fut Nick qui rompit le silence.

— Alors, de quoi parle votre nouveau livre ?

— Vous n'êtes pas au courant ? On ne doit pas poser cette question à un auteur.

— Pourquoi ? La malchance ou un truc comme ça ? Je n'arrive pas à croire que vous soyez superstitieuse.

— Je ne le suis pas. En fait, cela n'a rien à voir avec la superstition.

— Alors pourquoi pas ? insista Nick. Vous avez peur que quelqu'un vous vole vos idées ?

— Non, ce n'est pas ça non plus.

— Alors qu'est-ce que c'est ? demanda Gus qui se prenait au jeu.

— Certains écrivains estiment que raconter leur intrigue avant qu'elle soit couchée sur le papier appauvrit la fraîcheur de l'écriture. Cela fera de l'intrigue une histoire déjà vieille et usée avant même que l'écrivain ait eu une chance de la faire vivre.

— Conneries, dit Nick. Quel mal cela peut-il faire ? A vous entendre c'est une chose fragile, qui pourrait être abîmée, alors que ce n'est qu'une idée dans votre tête.

— Je ne savais pas que vous étiez critique littéraire, dit-elle.

— Je ne le suis pas. Vous ne saviez pas non plus que j'avais cessé de fumer, rétorqua-t-il.

Le silence enveloppa la voiture pendant quelques kilomètres supplémentaires. Puis elle parla.

— Le livre parle d'un inspecteur de police, dit-elle soudain. Il tombe amoureux de la mauvaise femme.

— Tu entends ça, Nicky ?

— Qu'est-ce qui lui arrive ?

— Elle le tue, dit tranquillement Catherine Tramell.

CHAPITRE SIX

Les salles d'interrogatoires du quartier général de la police de San Francisco, qui se trouve dans L'immeuble du palais de justice sur Bryant Street, ont tout le charme d'un réfrigérateur vu de l'intérieur. Celle dans laquelle Corelli, Talcott et Walker attendaient était considérée comme la plus belle de toutes — mais le décor restait d'un administratif déprimant. Il y avait une table provenant des fournitures de l'administration, quelques fauteuils recouverts d'un vinyle noir, une corbeille à papiers. Installée devant la table se trouvait une caméra vidéo dont l'objectif était braqué sur une chaise, vide, tel le canon d'une arme.

C'était là que Catherine Tramell allait prendre place.

Elle entra dans la pièce, flanquée de Nick Curran et de Gus Moran, et étudia les lieux et les hommes présents d'un œil froid. Elle paraissait déplacée dans cet endroit, et si elle le sentit elle n'en laissa rien deviner. Curran comprit que dissimuler ses émotions était une seconde nature chez elle.

Corelli bondit sur ses pieds lorsqu'elle arriva et lança sa grosse patte en avant.

— Je m'appelle John Corelli, madame Tramell, assistant du District Attorney. Je dois vous prévenir que cette réunion va être enregistrée. Nous avons le droit de le faire...

— Je n'ai jamais dit le contraire, dit Catherine.

— Je suis le capitaine Talcott.

Le capitaine, qui semblait sur le point de s'excuser, se ravisa et se contenta de serrer sa main élancée.

— Lieutenant Walker, dit Walker.

Il n'avait pas l'air de s'excuser et la fixa avec froideur.

— Que pouvons-nous vous offrir ? demanda Talcott avec empressement. Une tasse de café, peut-être ?

— Non, merci.

Corelli sortit un mouchoir et s'épongea le front. Les fenêtres étaient hermétiquement closes et il faisait chaud dans la pièce.

— Quand vos avocats vont-ils nous rejoindre ?

Nick fit de son mieux pour dissimuler sa grimace ironique.

— Mme Tramell a renoncé à son droit d'être aidée par un avocat.

Corelli et Talcott lui jetèrent un œil noir. Catherine Tramell intercepta ce regard et les observa l'un après l'autre.

— Y a-t-il quelque chose que je n'aie pas suivi ? demanda-t-elle.

— Je leur avais *dit* que vous ne voudriez pas de la présence d'un avocat.

— Pourquoi avez-vous renoncé à votre droit d'être assistée par un avocat, madame Tramell ? demanda Walker.

Catherine l'ignora, les yeux fixés sur Nick. Elle l'observait avec une espèce d'admiration. C'était une nouveauté chez elle.

— Pourquoi pensiez-vous que je n'en voudrais pas ?

— Je leur ai dit que vous ne chercheriez pas à vous cacher, répondit Nick d'un ton neutre.

Ils parlaient tous les deux comme s'ils avaient été seuls dans la pièce.

— Je n'ai *rien* à cacher.

Leurs regards restèrent rivés l'un à l'autre un moment encore, puis Catherine s'assit et se tourna vers ses inquisiteurs comme pour leur dire « Messieurs, tirez les premiers ». Nick s'assit directement en face d'elle. Elle était posée, calme, complètement maîtresse d'elle-même. Elle sortit une cigarette de son sac et l'alluma, jetant l'allumette usée sur la table devant elle.

— Il est interdit de fumer dans cet immeuble, madame Tramell, dit Corelli.

— Qu'est-ce que vous allez faire ? demanda-t-elle en haussant un sourcil. Me citer à comparaître pour ça ?

A San Francisco, la capitale mondiale des non-fumeurs, il y avait des non-fumeurs militants qui non seulement l'auraient traînée en justice pour avoir fumé, mais qui l'auraient joyeusement condamnée et envoyée à la chaise électrique.

Corelli, cependant, n'allait pas en faire une histoire. Il battit rapidement en retraite. Catherine souffla un jet de fumée par-dessus la table, directement sur Nick.

Corelli décida qu'il était temps que le spectacle commence.

— Pourriez-vous nous indiquer quelle était la nature de vos relations avec M. Boz, madame Tramell ?

— J'avais des relations sexuelles avec lui depuis environ un an et demi, dit Catherine sans paraître y attacher de l'importance. J'aimais ça.

Elle avait complètement le contrôle de la pièce et fixait chacun de ses interlocuteurs l'un après l'autre en parlant.

Les hommes dans la salle, des flics et un District Attorney, aimaient à croire qu'ils avaient tout entendu, tout vu, qu'on ne pouvait plus les choquer. Et en général c'était vrai. Ils avaient entendu les confessions de tueurs endurcis et sans remords, de violeurs d'enfants, de batteurs d'épouses, de tueurs à gages et de vendeurs de drogue. Mais ils étaient tout de même des policiers, et les policiers étaient, pour la plupart, des gens issus de la classe moyenne inférieure, catholique et conservatrice. Entendre une femme belle et riche, bien élevée, ayant de l'éducation, parler d'une façon si nonchalante de sa vie sexuelle était assez choquant.

— Avez-vous jamais participé à des actes sadomasochistes avec lui ? demanda Corelli.

Elle tourna son regard vers l'assistant du District Attorney. Il eut l'impression qu'on braquait sur lui le projecteur d'un phare.

— Qu'avez-vous exactement en tête, monsieur Corelli ? lui demanda-t-elle avec une grande innocence.

Corelli remua avec gêne.

— L'avez-vous jamais attaché ?

— Non.

Corelli insista :

— Vous ne l'avez jamais attaché.

— Non. Johnny aimait trop se servir de ses mains. J'aime les mains — et les doigts.

Elle étala ses mains élégantes sur la table sale et les observa, les apprécia, comme si elle revoyait des images de ce qu'elles avaient fait à Johnny Boz de temps à autre, et de ce que les siennes lui avaient fait, à elle.

— Vous décrivez une écharpe blanche dans votre livre, dit Walker. Une écharpe Hermès.

Catherine Tramell hocha la tête.

— J'ai toujours eu un faible pour les écharpes blanches...

Elle caressa ses propres poignets.

— Elles sont bonnes pour toutes les occasions...

— Mais vous disiez que vous aimiez que les hommes se servent de leurs mains, dit Nick, certain de l'avoir prise en flagrant délit de mensonge — un petit mensonge, une petite victoire.

Elle lui sourit brièvement.

— Non. J'ai dit que j'aimais que *Johnny* se serve de ses mains.

Elle le fixa au fond des yeux.

— Je ne fixe pas de règles, Nick.

Elle secoua doucement la tête.

— Aucune règle... Je me laisse aller avec le courant.

— Avez-vous tué M. Boz, madame Tramell ? demanda Corelli de sa meilleur voix de juge vengeur.

— Non, dit-elle sèchement.

— En avez-vous la preuve ?

— Suis-je censée fournir une preuve ? J'avais l'impression que c'était votre travail.

— *Voulez*-vous être soupçonnée dans la mort de Johnny Boz ? demanda Walker.

— Non... Mais pour ce qui est d'une preuve, lieutenant Walker, je devrais être sacrément stupide pour écrire un livre parlant d'un meurtre et ensuite le tuer de la façon décrite dans mon livre. Je me dénoncerais comme la meurtrière. Je ne suis pas stupide. N'est-ce pas, Nick ?

— Nous savons que vous n'êtes pas stupide, madame Tramell, dit Talcott.

— Peut-être comptez-vous sur ce livre pour vous décrocher de l'hameçon, dit Walker.

— Avoir écrit le livre vous *donne* un alibi, expliqua Nick.

— C'est vrai, n'est-ce pas ? remarqua-t-elle candidement.

Elle soutint le regard de Nick pendant une seconde, puis baissa les yeux vers la table.

— La réponse est non.

Elle laissa tomber sa cigarette sur le sol et l'écrasa du bout de sa chaussure.

— Je ne l'ai pas tué.

Gus entra en scène. Il se laissa aller en arrière dans son fauteuil et sourit aimablement.

— Prenez-vous de la drogue, madame Tramell ?

Elle ne fut pas dérangée par la question.

— Quelquefois.

Elle écarta légèrement les jambes, dévoilant encore un peu plus sa cuisse fuselée à Nick.

— Avez-vous pris de la drogue avec Johnny Boz ? demanda Corelli.

Elle haussa légèrement les épaules.

— Bien sûr.

— Quel genre de drogues ? demanda Gus.

Nick savourait le spectacle. Elle croisa brusquement les jambes, le rejetant.

— Cocaïne, dit-elle à Moran.

Puis elle sourit en direction de Nick.

— Avez-vous déjà baisé après avoir pris de la cocaïne ?

L'obscénité joua légèrement sur ses lèvres.

— Vous devriez tous essayer. C'est fantastique.

— C'est un crime, dit durement Walker.

— Vous aimez jouer à des jeux, n'est-ce pas ? demanda Nick. C'est tout ce que cela représente pour vous — meurtre, drogue —, c'est juste un jeu.

— J'ai un diplôme de psychologie. Les jeux font partie du territoire. Et les jeux sont amusants.

Elle alluma une autre cigarette et de la fumée bleue ondula dans l'air au-dessus de sa tête.

— Et la boxe ? C'est un jeu. Est-ce que ça vous a plu ?

Ils ne s'étaient pas quittés des yeux un seul instant. La tension craquait entre eux comme des éclairs diffus.

— La boxe n'a rien à voir dans cette enquête, intervint sévèrement Talcott. Curran, vous devriez garder à l'esprit le problème du moment.

Catherine ne parut pas avoir entendu Talcott. Elle répondit à Nick comme s'il n'y avait eu personne d'autre dans la pièce.

— La boxe. La boxe était amusante.

— C'est tout ? Juste amusante ?

— Cela a cessé d'être drôle lorsque Manny est mort, admit-elle. Ce n'est pas drôle, de voir quelqu'un que vous aimez être battu à mort.

— Je peux l'imaginer, dit Talcott avec un sourire onctueux.

— Qu'avez-vous ressenti lorsque je vous ai annoncé la mort de Johnny ? demanda doucement Nick.

— J'ai eu l'impression que quelqu'un avait lu mon livre et jouait à un jeu.

— Je croyais que vous aimiez les jeux.

Elle secoua doucement la tête.

— Pas ce genre-là.

Nick se pencha en avant, ses yeux rivés à ceux de la jeune femme.

— Cela ne vous a pas fait souffrir, cependant, non ? C'était le jeu qui vous inquiétait.

— Non. Je n'ai pas été touchée par la mort de Johnny.

— Parce que vous ne l'aimiez pas ?

Elle hocha brièvement la tête.

— C'est ça.

Leurs yeux étaient crochetés, comme si chacun essayait de voir dans le cerveau de l'autre.

— Et pourtant vous baisiez avec lui...

— L'amour n'a rien à voir avec le plaisir, Nick. On peut toujours avoir le plaisir. N'avez-vous jamais baisé quand vous étiez marié, Nick ? A part avec votre femme, je veux dire.

Il y eut un moment, un long moment, de silence. Nick la fixait, le visage inexpressif.

— Comment savez-vous que l'inspecteur Curran a été marié ?

Walker avait posé la question pour laquelle tous voulaient une réponse. Elle ne parut pas intéressée par la question qu'elle rejeta d'un geste négligent.

— Peut-être que j'ai fait une supposition, lieutenant. Quelle différence cela fait-il ?

Elle tira durement sur sa cigarette.

— Voulez-vous une cigarette, Nick ?

Corelli secoua la tête.

— Est-ce que vous vous connaissiez auparavant tous les deux ? Parce que si c'est le cas, Nick, vous devez sortir d'ici.

Les yeux de Nick ne quittèrent pas le visage de la jeune femme.

— Ne vous inquiétez pas pour ça, John. Nous ne nous connaissons pas. N'est-ce pas, madame Tramell ?

— Non, dit-elle.

— Comment avez-vous rencontré Johnny Boz ?

Walker était tout professionnalisme. Cela s'entendait au son de sa voix, à sa détermination à atténuer la charge électrique entre Nick Curran et Catherine Tramell.

— Je voulais écrire un livre sur le meurtre d'une ancienne vedette du rock. Je suis allée à son club et je l'ai abordé. Puis nous avons couché ensemble.

Elle adressa un sourire éclatant à Walker.

— Ce fut aussi simple que ça.

— Je vois.

— Vraiment ?

— Vous ne ressentiez rien pour lui. Vous n'aviez des relations sexuelles avec lui que pour votre livre ?

Nick se demanda si Boz avait su qu'il n'était rien d'autre que de la recherche.

— C'était comme ça au début. Puis...

— Puis ?

— Puis je me suis mise à aimer ce qu'il me faisait.

— C'est plutôt froid, vous ne trouvez pas, madame ? intervint Gus.

Catherine Tramell eut un sourire minaudier.

— Jésus ! Qui aurait cru trouver autant de romantisme parmi une bande de flics ? Selon vos règles, le sexe sans amour est un crime, c'est ça ? Les gens en utilisent chaque jour d'autres partenaires, Gus ; votre surprise m'étonne.

— On les utilise, puis on les jette. C'est votre façon d'opérer, madame ?

— Je suis écrivain, dit-elle froidement. J'utilise les gens pour ce que j'écris. Que le monde se tienne sur ses gardes.

— Trop tard pour Johnny Boz, fit remarquer Gus. Trop tard pour qu'il planque son cul.

Catherine regarda les policiers et le procureur.

— Vous pensez vraiment que c'est moi qui l'ai tué, n'est-ce pas ? Peu importe que je ne sois pas assez folle pour copier un meurtre que j'ai décrit dans un livre ? Vous pensez que je suis une salope froide et sans cœur, mais n'en tenez pas compte dans vos conclusions. Et pourtant, pourquoi une telle personne commettrait-elle un crime *passionnel* ? Vous estimez que j'ai tué Johnny.

Elle secoua la tête, désorientée.

— Je pense qu'il va falloir que je vous prouve le contraire.

— Comment vous proposez-vous de faire ça ? demanda Corelli.

— Simple...

— Simple, de quelle façon ? demanda Nick.

— Je vais passer le test du détecteur de mensonges.

Il aurait été facile de prendre le cube du détecteur de mensonges du Quartier général de la police pour un lieu d'exécution, peut-être une chambre à gaz. C'était un cube étroit, sans fenêtre, meublé d'une chaise unique qui se trouvait posée juste contre la machine à l'apparence vaguement menaçante. Caché dans le mur de cet endroit semblable à une cellule se trouvait l'objectif d'une caméra vidéo qui retransmettait l'image de Catherine Tramell dans une petite salle d'observation. Elle fut menée jusqu'à la chaise, des sangles et des palpeurs émergeant de la machine s'enroulèrent autour de ses bras et de sa taille comme des tentacules.

Bien que la caméra ait été soigneusement dissimulée,

enchâssée dans le mur de parpaings, elle semblait savoir exactement où elle était. Elle fixa l'objectif, comme pour lui faire baisser le regard. Les policiers avaient suivi sa performance bravache sur la machine avec l'attention vigilante de personnes se rendant pour la première fois au théâtre.

L'expert qui lui fit passer le test fut également impressionné. Il vint dans la salle d'observation avec ses réponses à la main en secouant la tête.

— Pas de sursaut dans le tracé, pas d'altération de la pression sanguine, pas de déviation du pouls, rien de rien. Ou elle dit la vérité, ou je n'ai jamais rencontré quelqu'un comme elle.

Talcott parut soulagé et se permit le luxe d'un petit ricanement victorieux à l'intention surtout de Nick, mais aussi un peu de Walker et de Moran.

— Alors je pense que la cause est entendue, dit-il.

Nick fixait l'image sur l'écran.

— Elle ment, dit-il froidement.

Talcott s'immobilisa sur le seuil de la porte.

— Curran, pour l'amour de Dieu...

L'expert du détecteur fut encore plus intransigeant.

— Laissez tomber, Nick, on peut me tromper, on peut vous tromper. Mais on ne peut pas tromper la machine. Une belle poulette ne fait pas tourner la tête de la machine, vous comprenez ce que je veux dire ?

Nick rejeta l'objection d'un hochement de tête.

— On peut tromper la machine.

— Si on est mort, peut-être...

Croyez-moi... c'est possible.

— Et qu'est-ce qui fait de vous un expert, tout à coup ?

— Je connais des gens qui l'ont fait.

— Qui, par exemple ?

— Un type que j'ai connu autrefois, dit Nick en se dirigeant vers la porte.

— Ouais, dit l'examinateur. J'aimerais le rencontrer un de ces jours.

— Un de ces jours, acquiesça Nick.

Talcott, debout avec Catherine Tramell dans le couloir de l'immeuble de la police, était en train de replâtrer rapidement l'image du service, s'excusant avec autant de regret dans la voix qu'il le pouvait de l'avoir fait venir ici. Catherine ne lui prêtait guère d'attention, un sourire lointain aux lèvres, tel un monarque devant un officiel très bas dans la hiérarchie de quelque lointaine colonie.

— Bien entendu, s'il n'y avait eu que moi..., disait Talcott juste à l'instant où Walker, Moran et Nick Curran les rejoignaient.

Il s'interrompit brusquement.

Walker, lui aussi, estimait que des excuses s'imposaient.

— Merci d'être venue, madame Tramell. J'espère que nous ne vous avons pas trop ennuyée.

Catherine lui sourit du bout des lèvres.

— Cela m'a amusée... Puis-je demander à l'un de vous de me reconduire ?

Elle fixait Nick en parlant.

— Bien sur, dit-il.

— Merci.

Talcott, Walker et Gus Moran les regardèrent partir.

— Ça, commenta Moran, c'est un paquet d'ennuis qui cherche où tomber.

— Walker, dit sèchement Talcott. Faites en sorte qu'il ne tombe pas d'ennuis. Nulle part. Compris ?

Walker comprit.

La voiture de Nick, une Mustang gris et marron décapotable à l'air méchant, était garée au bord du trottoir juste devant le palais de justice. Il la lança dans la circulation et descendit rapidement Bryant Avenue.

Catherine Tramell bâilla et s'étira dans le moelleux siège baquet, se replia comme une chatte. Le coin de ses yeux tombait légèrement de fatigue.

Nick lui jeta un coup d'œil en biais.

— La journée a été dure ?

Elle secoua la tête.

— Pas vraiment.

— Distrayante ?

— D'une certaine façon.

— Je parierais... Battre cette machine n'est pas une chose facile, mais je parierais que vous avez pris ça comme un nouveau jeu, sans plus. Et tout le monde sait à quel point vous aimez les jeux, non ?

Elle le fixa un court instant, rencontrant ses yeux, puis regarda au loin.

— Si j'étais coupable et que je veuille battre cette machine, ce ne serait pas très difficile.

— Non ?

— Non. Ce ne serait pas difficile du tout.

— Comment cela ?

— Parce que je suis une menteuse. Une menteuse invétérée.

Nick eut le sentiment que, à cet instant précis, Catherine Tramell disait la vérité pleine et entière.

— Je suis une menteuse professionnelle, poursuivit-elle. Je passe ma vie à perfectionner mes mensonges.

— Pourquoi ?

— Pourquoi ? Pour mes écrits, bien sûr.

Un camion géant, un gros seize-roues fila en sens inverse, son conducteur aussi peu concerné par le mauvais temps que Nick l'était, projetant une masse d'eau énorme qui claqua contre le pare-brise de la Mustang. Pendant un instant ce fut comme s'ils subissaient un lavage de voiture dans un garage. Durant plusieurs secondes, Nick ne put plus rien voir, toute la vitre de la voiture inondée d'eau boueuse, mais il ne leva pas pour autant le pied de l'accélérateur. La situation ne parut pas beaucoup perturber Catherine Tramell non plus.

— J'aime la pluie, dit-elle comme si elle se trouvait sur sa terrasse à Stinson. Pas vous ?

— Pas spécialement, répondit Nick.

— Vous êtes passé au détecteur de mensonges après avoir tué ces deux personnes, n'est-ce pas ?

— Ouais.

— Vous avez battu la machine, n'est-ce pas ? C'est comme ça que vous savez que ça peut être fait.

— Disons que je m'en suis sorti avec les honneurs.

— Vous voyez, dit-elle avec un sourire, nous sommes innocents tous les deux, Nick.

Il engagea la voiture en direction de Pacific Heights, prenant le plus long chemin par Broderick. La pluie tombait toujours à torrents lorsqu'il s'arrêta devant la maison de la jeune fille à Divisadero. La Lotus blanche était garée dans l'allée. Nick se rangea le long du trottoir et coupa le moteur. Il n'y avait plus comme bruit que le son de la pluie tambourinant sur le toit.

— Vous semblez savoir énormément de choses sur moi, dit-il.

— *Vous* savez tout de *moi*, répondit-elle comme si les détails de sa vie sexuelle lui avaient été arrachés sous la torture, plutôt que bénévolement offerts, presque sans y penser.

— Je ne sais rien qui ne soit l'affaire de la police, dit Nick sur la défensive.

— Oh ?

— Ouais. Oh.

— Est-ce que c'est l'affaire de la police que vous sachiez que je n'aime pas porter de sous-vêtements ? Vous savez ça, Nick, pas *eux*.

— Je suis certain que le capitaine Talcott serait intéressé de l'apprendre, dit-il. Bon Dieu, tout le monde au QG devrait le savoir. Je vais ajouter une note à votre dossier.

— Faites-le.

Elle ôta ses chaussures et ouvrit la portière.

— J'ai passé un bon moment, dit-elle comme s'il s'agissait de la fin d'un rendez-vous. Merci de m'avoir ramenée.

Elle claqua la porte et marcha pieds nus parmi les flaques, les hanches ondulant sous la pluie. Il resta assis derrière le volant à l'observer, les yeux fixés sur elle jusqu'au moment où elle ouvrit la porte de sa maison et disparut à l'intérieur.

CHAPITRE SEPT

Le Cent-Quatre était un bar sur Bryant Street, à quelques pâtés de maison du palais de justice et du quartier général de la police, et c'était l'un des favoris des membres de la police de San Francisco. C'était un bar de flics, mais, tout comme le service de la police de San Francisco lui-même, il était en mutation. Autrefois, c'était une de ces oasis pour flics, typique d'une grande ville : on pouvait trouver son équivalent à New York, Détroit, Chicago, Boston — partout où la police était une enclave de seconde et troisième génération d'immigrants, des durs conservateurs tenant à faire respecter la loi et l'ordre. Des boissons fortes, servies dans un endroit sans atmosphère, avec une cuisine qui était un autel élevé à la friture et à la graisse.

Mais le visage de la police de San Francisco changeait ; les vieux flics démodés prenaient leur retraite, la nouvelle génération arrivait. Et le Cent-Quatre servait des margaritas et de la bière de marque aussi bien que de la Bud et de la pression. Les Looters, les Movie Stars, Chris Isaak — les chanteurs de rock les plus en vue à San Francisco — bousculaient Frank Sinatra et Tony Bennett dans le juke-box. Il y avait même une plante verte.

Et il y avait des flics. De vieux flics comme Gus Moran et d'autres de son espèce, et de petits malins comme Nick Curran en beaux costumes et avec des coupes de cheveux coûteuses. Walker et Gus Moran étaient assis à une table dans un box du fond, faisant durer leurs verres et attendant Nick — il n'avait pas dit qu'il viendrait, mais ils savaient qu'il finirait par se montrer, tout comme un pigeon finit toujours par rentrer chez lui.

Walker l'attaqua avant même que Nick ait eut le temps de s'installer à leur côté.

— Bon Dieu, Curran, qu'est-ce que c'est que ce bordel de « Nick par-ci », « Nick par-là » ? Vous voulez une cigarette, Nick ? Nick, vous pouvez me reconduire ? Bordel, expliquez-moi, s'il vous plaît.

— Elle ne m'a pas demandé de la reconduire. Elle a demandé si quelqu'un pouvait le faire, corrigea Nick, sur la défensive.

— Hey, Nick ! appela le barman. Comme d'habitude ? Perrier avec une rondelle de citron ?

— Un double Black Jack avec des glaçons, Chuckie, cria Nick.

— Qu'est-ce que tu fais, fiston ? demanda Gus.

— C'est mon premier verre en trois mois. Ça te va ?

— Non, répliqua Gus Moran.

— Dommage.

— Vous la connaissez, n'est-ce pas, Nick, demanda Walter.

— Je ne la connais pas. Elle ne me connaît pas. Je n'avais jamais entendu parler d'elle, je ne l'avais jamais vue avant que Gus et moi lui parlions hier. Exact, Gus ?

— Comment diable le saurais-je ?

Chuckie, le barman, posa un gros verre empli de scotch sur la table en face de Nick.

— Merci, Harry. Sois sympa et fais-moi une facture, tu veux ?

— Bien sûr, Nick.

Curran prit une longue gorgée, descendant la moitié du scotch en un seul mouvement. Il exhala avec satisfaction et se lécha les lèvres. C'était bon. Trop bon. Cela avait un peu le goût du danger.

— Répétez-le-moi, Nick, dit Walker, juste pour me rassurer. Vous ne connaissez pas Catherine Tramell en dehors du service ?

— Exact.

Les yeux de Walker se rétrécirent avec soupçon.

— Vous en êtes certain ?

— J'en suis certain.

Il lampa le puissant breuvage brun comme s'il en avait besoin pour survivre durant les prochaines minutes de sa vie.

— Alors, dites-moi, et après ?

— Et après, quoi ? C'est fini. C'est fini en ce qui la concerne. Ne vous approchez pas d'elle, Nick. Faites-vous une fleur. Faites-nous tous une fleur. Vous croyez que ça me plaît d'avoir Talcott qui me souffle dans le cou ? Réfléchissez.

— Vous allez la laisser partir, juste comme ça ?

— Qu'cst-ce que je suis censé faire ? Elle a passé l'examen du détecteur de mensonge avec les honneurs, Nick. Personnellement, cela me ravit. Plus de Catherine Tramell. Dieu merci.

Walker prit une lampée de son propre verre, une vodka-tonic. Il paraissait cn avoir besoin au moins autant que Nick. Son rang plus élevé ne le mettait pas à l'abri des dangers de l'alcoolisme — bien au contraire.

— Elle a passé le test du détecteur de mensonges. Pour l'amour de Dieu, elle n'a pas réussi le test, elle a battu la machine. C'est pour ça qu'elle a demandé à y passer.

— Bon Dieu, qu'est-ce que tu en sais ?

Gus Moran avait presque beuglé en direction de son équipier.

— Qu'est-ce qu'il y a entre toi et cette poule, Nick ? Crois-moi, tu es trop vieux pour perdre la boule pour une fille.

— Elle n'est qu'une suspecte comme une autre.

— Bon Dieu, dit Moran, je nc sais pas si je dois rire ou pleurer.

— C'est une ex-suspecte, corrigea Walker, qui vient juste de passer le test du détecteur de mensonges. Ça suffit. C'est toute son histoire. Fin de l'histoire.

— Mais peut-être que ce n'est pas toute son histoire.

— S'il vous plaît, Nick, s'il vous plaît, grogna Walker.

— Allons, Phil, vous n'allez pas laisser passer ça, non ? Et ses parents ? Et ce qu'elle a publié d'autre ? Peut-être que *tous* ses livres ont une façon de se transformer en réalité.

Phil Walker secoua lentement la tête. Il eut soudain

l'air fatigué, épuisé et plus vieux que ses quarante-cinq ans.

— Ses parents sont morts dans un accident. Peu m'importe ce qu'elle a pu écrire d'autre. Et, bordel, qu'est-ce que vous êtes — un critique littéraire, maintenant ?

— Comment sont-ils morts ? insista Nick, tel un combattant essayant de fatiguer son adversaire. Y a-t-il eu une enquête ?

— Je n'arrive pas à te comprendre, Nick, dit Moran, et je croyais vraiment que je te connaissais bien. Tu bandes pour son corps, ou tu bandes à l'idée de l'arrêter pour meurtre ? Une minute je crois que c'est juste pour son châssis, la suivante j'ai l'impression que tu penses qu'elle baise avec Al Capone, l'Ennemi public numéro un. Ou bien est-ce les deux ?

— Et maintenant vous dites qu'elle a peut-être tué ses parents. Laissez-moi deviner, vous pensez qu'elle a tué également Manny Vasquez, c'est ça ?

— Ouais, dit Moran. Elle est montée sur le ring et s'est transformée en fils de pute.

— Peut-être, seulement peut-être, Gus, dit Walker. Peut-être qu'elle a fait friser ses cheveux, peut-être qu'elle a appris un crochet du gauche qui pouvait tuer un homme et mis du cirage sur son visage. On devrait la passer au détecteur à nouveau et lui poser la question.

— Allez vous faire foutre, Phil, dit doucement Nick.

— Et, tant qu'on en parle, Nick, allez donc vous faire foutre vous-même.

— Je me sens un peu laissé à l'écart, dit Moran tristement.

— Ton tour viendra, dit Nick.

Il vida son verre et l'agita en direction du barman.

— Qu'est-ce que tu dirais de me remettre un autre double Black Jack, Chuckie ?

— C'est comme si c'était fait, Nick, répondit le barman.

— Allons, Nick, dit Moran, les sourcils froncés par l'inquiétude. Tu n'as pas besoin de cette merde.

— Tu en as besoin, le contra Curran, Phil en a besoin. Tous les flics dans ce bistrot en ont besoin.

Chuckie, le barman, n'apporta pas le grand verre d'alcool à la table de Curran. Au lieu de cela, un homme rubicond, avec des cheveux clairsemés et un costume qui donnait à Gus Moran des allures de gravure de mode, posa le verre sur la table devant Nick. Il avait le regard légèrement vitreux des suites de ses propres consommations, et il tanguait, debout devant la table.

— Voilà, Tireur, dit-il avec un sourire méchant. Bois. Soûle-toi la gueule. De retour au Black Jack, hein, Tireur.

Nick prit le verre mais ne releva pas la tête vers celui qui le tourmentait.

— Nous discutons d'une affaire, Marty, dit rapidement Walker d'un ton ferme.

Marty Nilsen, un enquêteur de l'Inspection générale des services qui n'était pas un ami de Curran, prit un air exagérément peiné.

— Je le sais. Je n'en avais absolument aucun doute. Vraiment. Alors, discutez.

Il poussa le verre un peu plus près de Nick, le narguant.

— Bois. Bois ton double, Tireur.

Gus Moran, assis à côté de Nick Curran, pouvait sentir son équipier se durcir, se tendre comme un ressort sur le point de se relâcher d'un coup, prêt à bondir sur le gros enquêteur de l'Inspection. Les mains de Nick se refermèrent en poings durcis. Moran lui posa une main sur l'avant-bras, prêt à le rasseoir de force s'il décidait de frapper.

Curran déglutit avec difficulté, se contrôlant à peine.

— Je ne suis plus en service, Nilsen, dit-il en luttant pour dominer la colère dans sa voix. Vous entendez ça ? Je ne suis plus en service et je discute d'une affaire avec mon partenaire et mon chef. L'Inspection générale ne devrait pas avoir de problèmes avec ça. Peut-être que je devrais déclarer quelques heures supplémentaires. Qu'est-ce que vous en pensez ? Vous croyez que les balançoires de l'IG auront des problèmes là-dessus ?

— Hé, Tireur, je n'ai pas de problème avec ça. Mais ne travaille pas *trop* dur. Cela pourrait t'amener à boire.

Un vent froid souffla dans le bar quand Beth Garner

pénétra dans la salle, venant de la rue fouettée par la pluie. Elle arriva au Cent-Quatre juste à temps pour voir Nick perdre son sang-froid — ou presque. Nick était debout, Walker et Moran tentant de le faire se rasseoir à la table.

— Lâchez-moi la grappe, Nilsen, hurla Curran, ou je jure que je vous enfonce les dents au fond de la gorge.

— Hé, hé, quel est le problème ?

Les cinquante et un kilos de Beth Garner se glissèrent entre deux costauds de flics.

— Calmons-nous.

— Pas de problème, doc, dit Nilsen avec un ricanement. Pas de problème, maintenant que la réductrice de tête est là juste à temps pour sauver son patient préféré.

Il enveloppa Beth Garner d'une étreinte d'ours empestant la sueur et l'alcool. Elle se dégagea d'une secousse.

— Allez vous faire foutre, Marty.

Ou Nilsen était très soûl, ou il avait la peau particulièrement épaisse, même pour un flic de l'Inspection générale.

— Amusez-vous bien, les gosses, dit-il avec un rire cordial avant de s'éloigner en titubant.

Nick, quant à lui, fut plus lent à calmer. Il fixa le gros flic qui traversait la salle ; ses yeux jetaient des éclairs, telles des lames de couteaux s'enfonçant dans son dos.

— Il me cherche. Et je suis justement d'humeur à lui offrir ce qu'il veut.

Beth le repoussa dans le box.

— Bien sûr, c'est ça. Joue son jeu. Il ne demande que ça. Mais ne mords pas à l'hameçon, Nick. Ne lui donne pas cette satisfaction.

Curran prit une profonde inspiration, comme si cela seul pouvait étouffer le feu de sa colère. Mais il réalisa qu'il lui en fallait plus.

— Tu veux sortir d'ici ? demanda-t-il.

— Oui, répondit Beth.

Elle passa son bras sous le sien, un geste de propriétaire empli d'affection.

— Bien.

Il se retourna vers Walker et Gus Moran, jetant quelques billets sur la table.

— Occupe-toi de ma facture, Gus, dit-il. Et prenez un verre à ma santé.

Nick Curran pilota Beth Garner vers la sortie et la pluie qui balayait les rues. Les deux policiers observèrent leur départ, avant de se retourner vers leurs verres.

— N'est-ce pas qu'ils forment un joli couple ? remarqua Gus.

— Je croyais que c'était terminé entre eux.

— Eh bien, peut-être pas pour cette nuit. Peut-être que cette nuit est juste en souvenir du bon vieux temps.

— Quelquefois je me dis qu'il a commencé à la sauter juste pour se décrocher de l'hameçon de l'Inspection générale.

— Nan, dit Gus. Il est pas comme ça. Mon équipier a un cœur.

— Ouais, dit Walker. Je sais.

La colère qui s'était accumulée en Nick Curran ce jour-là grondait au moment où ils arrivèrent chez Beth. Comme elle tendait la main pour allumer la lumière il l'agrippa et l'embrassa avec ferveur, avidement, la poussant contre la porte. Il était dur et brutal et une vague de peur la submergea. Elle essaya de le repousser et sentit sa détermination méchante à obtenir sa soumission.

— Non... s'il te plaît, Nick...

Sa réponse fut inarticulée, mais claire. Il plongea les mains dans sa robe et le vêtement se défit avec un bruit de déchirement courroucé ; une main chaude se glissa le long de sa cuisse froide jusqu'à sa culotte, ses ongles fouillant le fin tissu. Il tira la robe par-dessus ses épaules, puis enfonça ses mains sous son soutien-gorge, dégageant ses seins.

La voix de Beth reflétait sa panique.

— S'il te plaît non... non...

Il fit descendre sa bouche jusqu'à ses épaules et avec un grognement lui mordit la peau, la tirant sur le sol.

Il se leva au-dessus d'elle juste assez longtemps pour ouvrir sa chemise et baisser son pantalon, s'enfonçant en elle avec rage. Beth Garner n'avait pas de fantasme de viol profondément enfoui en elle. Elle ne ressentait pas le moindre désir pour Nick, mais un dégoût maladif et une haine grandissante.

Il s'enfonça, se retira, se jeta en elle, comme si la seule force de son ardeur pouvait effacer la douleur qu'il lui avait causée, comme s'il pouvait en quelque sorte la forcer à éprouver du plaisir. Mais les tourments et la punition qu'il dispensait avec son corps dépassaient de loin tout plaisir. Elle ne pouvait qu'attendre qu'il ait terminé et espérer qu'il ne lui ferait pas plus de mal que ce qu'il avait déjà fait.

Il jouit rapidement, le sperme jaillissant de lui, le laissant épuisé mais avec un bourdonnement dans la tête et une insatisfaction vague, sa faim, son besoin, insatisfaits.

Curran roula de sur le côté et resta étendu à côté de Beth à fixer le plafond. A présent que c'était terminé elle ne ressentait envers lui ni crainte ni haine, juste une pitié pathétique. Elle toucha l'hématome sur son épaule et s'assit, incapable de le regarder.

Il tendit la main pour la toucher, pour la rassurer s'il le pouvait, mais elle refusa d'être réconfortée. Elle le repoussa et frissonna.

— Beth...

— Comment était-elle ?

Beth Garner était psychiatre et savait se repérer dans le psychisme rocailleux de Nick Curran. Ce qui venait de se passer ne la concernait pas, elle, Beth Garner. Elle n'était rien d'autre qu'une passante innocente.

— Qui ?

— Catherine Tramell.

— Qu'est-ce qui te fait croire que je sais comment elle est ?

— Je sais que tu ignores comment elle est au lit, Nick, sinon cela ne se serait pas produit.

— Beth...

— Non, je parle de l'autre performance de Catherine Tramell.

Nick resta silencieux un moment.

— Tu l'avais bien épinglée, dit-il doucement. Elle s'est servie de son livre comme alibi.

Il s'assit et embrassa l'épaule qu'il avait mordue quelques minutes auparavant. Elle ne bougea pas. Ce fut comme s'il avait baisé du marbre.

— Je l'ai connue à Berkeley, dit-elle.

— Quoi ?

— Nous étions à certains cours ensemble.

Elle eut un sourire lugubre par-dessus son épaule.

— Psychologie, tu sais. Nous avons ça en commun, ou bien n'y avais-tu pas songé ?

— Je n'y avais pas pensé.

Beth et Catherine Tramell avaient à peu près le même âge, elles avaient toutes deux été diplômées en psychologie à Berkeley à peu près à la même époque.

— J'aurais dû.

— Tu n'as pas beaucoup pensé à moi, Nick. Pas depuis longtemps. Et moins encore ces derniers jours.

— Pourquoi ne m'as-tu pas dit que tu la connaissais ?

Elle le fixa durement.

— Maintenant je te le dis.

— Tu as pris ton temps.

— Eh bien pas toi. J'aurais fait l'amour avec toi, Nick. Je le *voulais*. Mais pas comme ça. Tu n'as jamais été ainsi avant.

Elle le fixa durement comme pour tenter de lire sur son visage dans la demi-pénombre.

— Pourquoi, Nick ?

— *C'est toi*, la psychiatre, dit-il sans pitié.

Elle se redressa et rassembla sa robe en lambeaux autour de ses épaules nues.

— Oui, je suis la psychiatre, mais tu n'étais pas en train de me faire l'amour.

— Eh bien, en ce cas, à qui faisais-je l'amour, docteur Garner ?

— Tu ne faisais pas l'amour, Nick.

— J'ai besoin d'une cigarette.

— Je croyais que tu avais cessé de fumer.

— J'ai recommencé.

— Tu trouveras des cigarettes dans le tiroir du haut, dit-elle d'un ton dur. Dans l'entrée. Prends-les en partant.

CHAPITRE HUIT

Les bars ferment à deux heures du matin à San Francisco, ce qui donna à Nick Curran près de trois heures pour fumer un paquet de cigarettes et venir à bout de près d'une bouteille de Johnny Walker Black dans un troquet du quartier de La Mission. Lorsque celui-ci ferma, il débarqua dans un bouge du côté de South of Market pour quelques verres de plus et, quand même là on ferma, il réussit à regagner son domicile et à plonger dans un sommeil proche du coma éthylique pendant quelques heures. Il se réveilla avec un mal de crâne lui donnant l'impression que quelqu'un lui avait enfoncé une ancre marine dans le cerveau et avec une langue qui paraissait avoir été tapissée d'une imitation de fourrure en acrylique. Il pouvait supporter la gueule de bois — il en avait eu d'autres auparavant — mais la haine qu'il ressentait envers lui-même le terrassait.

Le temps qu'il arrive au quartier général toute l'équipe s'occupant de l'affaire John Boz était déjà rassemblée dans le bureau de Walker depuis plusieurs heures. Personne ne fit de cérémonie.

— Vous avez l'air d'une merde de chien, dit Walker.

— J'ai déjà vu des merdes de chien qui avaient meilleure allure, remarqua Andrews.

— Boz avait meilleure allure, dit Harrigan.

— Ne fais pas attention, fiston, dit Gus avec le sourire de quelqu'un qui bouffe de la merde. Tu n'as pas l'air si mal en point. Ta tête a juste l'air d'avoir été réduite, c'est tout.

— Tout le monde est sacrément drôle, grogna Nick.

Il se servit une tasse de café fumant et la but aussi avidement qu'il l'avait fait du scotch le soir précédent.

— On a du nouveau ?

— J'ai appelé Berkeley, dit Andrews. Il y a eu un meurtre en 77. Un professeur — pic à glace, dans son lit, multiples blessures.

Nick Curran eut un fin sourire.

— Et notre fille était là-bas à l'époque, n'est-ce pas ?

— C'est ce que disent les archives de l'Université, constata Andrews.

— Attendez, dit Nick. 1977 ? Quel âge a-t-elle aujourd'hui ? Trente ? Trente et un ? En 1977 elle aurait eu...

Il fit un rapide calcul mental, ce qui n'était pas un mince exploit, compte tenu de l'état dans lequel il se sentait à ce moment précis.

— Seize ans ? Dix-sept ?

— Donc, c'était une foutue enfant prodige, constata Moran.

— Gus, je sais que ton numéro d'idiot est juste un numéro, mais ces types l'ignorent, dit Nick.

— Donc, reprit Walker, sommes-nous en train de dire qu'une étudiante de seize ans a poignardé un professeur de collège à coups de pic à glace ?

— Nous parlons de Catherine Tramell, dit Nick. Pas de n'importe quelle étudiante. Je crois que c'est dans ses moyens.

— Nous devrons le vérifier.

Walker n'avait pas l'air très heureux.

— Gus, filez à Berkeley, voyez ce que vous pouvez trouver. Harrigan, cherchez tout ce qu'elle a publié d'autre. Andrews, procurez-vous le dossier de l'accident de ses parents. Et tout le monde tient Beth informée de tout. Je veux une assistance psychologique là-dessus. Pigé ?

— Et moi ? demanda Nick.

— Tu as déjà une aide psychologique, fiston, ricana Gus Moran.

— La première chose que vous allez faire, Nick, c'est de plonger la tête dans un baquet d'eau glacée. Puis suivez-la. Voyez si elle nous conduit quelque part.

Nick ne chercha pas d'eau glacée, mais il prit quelques tasses de café dans une cafétéria proche et les but en roulant en direction de Stinson Beach. Il avait baissé toutes les vitres de sa voiture banalisée et laissait le vent lui cogner le visage. L'orage de la nuit précédente avait laissé derrière lui un air frais et revigorant, mais les nuages étaient toujours bas et chargés, menaçant d'une nouvelle pluie, un jour d'hiver typique à San Francisco. Le Golden Gate était voilé de brouillard, mais le goût de l'air salé sur le pont chassa de son cerveau les dernières toiles d'araignées de l'alcool ; il se sentait humain à quatre-vingt-cinq pour cent lorsqu'il arriva à Stinson.

La Lotus noire était garée devant la maison et il passa une heure interminable à espérer qu'elle émerge pour grimper dans l'engin.

Elle conduisait bien, mais ne jaillit pas de l'allée. Nick sourit pour lui-même — quelquefois, même une Catherine Tramell n'avait pas envie de vivre sa vie dans la voie rapide. Nick se tint en retrait sur la route nationale Un, à prudente distance, lui laissant une bonne avance et la gardant juste à portée de vue. Mieux valait la perdre que de lui laisser deviner qu'elle était suivie.

Un moment plus tard il s'emporta contre lui-même pour sa suffisance lorsqu'elle enfonça la pédale de l'accélérateur. La puissante voiture parut bondir en avant sur la route, comme un cheval de course recevant un coup de cravache.

Elle louvoya au sein de la circulation, coupant les files et y revenant, doublant par la droite et par la gauche, faisant tout pour passer en tête sur la route sinueuse. Nick épongea la sueur sur sa lèvre supérieure et la prit en chasse, accélérant, forçant sa voiture à demeurer à distance constante derrière elle.

Les touristes sur la nationale Un, sortis pour une promenade tranquille par un matin d'hiver, se remettaient juste du choc causé par la vision d'une Lotus les dépassant à une vitesse démente quand une Chevrolet d'un brun sale jaillit près d'eux en pratiquant le même genre de gymnastique.

Mais l'inconscience dont Nick avait déjà été le témoin

n'était rien d'autre qu'un simple prélude au numéro suivant. La Lotus déboîta dans un virage sans visibilité, visant la corde comme si elle avait été seule sur la route, bloquant totalement la voie de gauche. Nick se trouvait juste trois voitures derrière elle, sur la gauche ; puis elle se glissa à nouveau dans la file de véhicules, reprenant sa place sur la droite comme une automobiliste respectueuse des lois — et dévoilant à Nick un énorme autobus touristique des Gray Lines qui déferlait vers lui comme un boulet de canon.

Il y avait une voiture sur sa droite, une falaise escarpée sur sa gauche. Il n'avait pas d'autre moyen que de foncer droit sur le bus en espérant qu'il pourrait se rabattre dans le trafic avant d'être écrasé, et transformé en une statistique routière. Il enfonça la pédale de l'accélérateur et extirpa quelques derniers chevaux du moteur hurlant. Le bus fit beugler son avertisseur mais continuait d'arriver sur lui. La voiture sur sa droite restait à son niveau. Il était coincé.

En une micro-seconde il prit sa décision : il enfonça la pédale du frein et se rabattit brutalement sur la droite — son pare-chocs faillit s'encastrer dans le coffre de l'automobile le précédant —, s'écartant de la route du bus qui passa en grondant, l'avertisseur tonitruant.

— Bordel !

Nick cogna sur le volant. C'était soit perdre la piste soit se faire tuer. *Maintenant* il était temps de reprendre la filature de Catherine Tramell. Lessivé par le danger mortel auquel il venait tout juste d'échapper, il enfonça malgré tout l'accélérateur jusqu'au plancher et passa à nouveau dans la voie de gauche, filant derrière elle.

Loin devant lui, il vit une silhouette noire et basse : la Lotus, prenant la sortie pour Mill Valley. Il respira un peu plus facilement : Mill Valley était une petite ville tranquille et riche. Les flics locaux ne laisseraient pas une Lotus noire s'en tirer si elle jouait les grands prix. Pas dans la quiétude de leur voisinage.

Il la rejoignit dans les collines surplombant la ville, la filant à travers les petites rues étroites et sinueuses qui montaient vers les pentes en terrasses de la colline. Elle s'arrêta devant une maison banale, un endroit pratiquement en ruine, pauvre et tranchant sur les solides demeures de la classe moyenne qui la flanquaient dans une rue ensoleillée appelée Albion Avenue. Il nota le numéro.

Catherine Tramell se gara et verrouilla la Lotus, puis fila vers la porte d'entrée de la maison et fut à l'intérieur avant même qu'il passe lentement devant. Il se rangea quelques places plus loin dans la rue et s'installa pour attendre.

Au bout d'une heure il s'ennuyait comme une pierre. Juste pour s'occuper il sortit de la voiture et examina la maison. Il ne pouvait rien voir, et en tout cas certainement pas risquer un œil par les fenêtres. Il ouvrit la vieille boîte aux lettres et trouva du courrier annonçant que Mme ou M. Hazel Dobkins (ou l'occupant actuel) avaient peut-être déjà gagné un million de dollars ! L'enveloppe disait également que Mme ou M. Hazel Dobkins devrait ouvrir immédiatement l'enveloppe pour y trouver les informations nécessaires à l'obtention de son Cadeau Gratuit de Grande Valeur !

Le nom ne lui disait rien. Il faisait presque nuit lorsque Catherine Tramell émergea de la maison avec une vieille dame à l'air fragile, une pâle vieille chose d'une soixantaine d'années. Il ne put que faire une supposition concernant son identité : un membre de la famille, une tante peut-être, ou une grand-mère maternelle ; les âges concordaient, mais Catherine Tramell n'avait pas l'air du genre à avoir tellement l'esprit de famille.

Elle se glissa dans la Lotus et s'éloigna de la maison, prenant la route des collines en direction du fond de la vallée. Elle ne paraissait pas pressée — du moins jusqu'à ce qu'elle atteigne la limite de la ville de Mill Valley.

Elle approchait d'un feu tricolore, sereine et calme comme une automobiliste n'ayant jamais commis la moindre infraction. Une voiture se tenait à l'intersection, attendant que le feu passe au vert. Catherine avança vers elle, le moteur de la Lotus grondant comme un chat sauvage.

Puis, soudain, elle embraya et la voiture bondit, fonçant droit sur l'espace trop étroit entre le véhicule et le trottoir. A pleine vitesse elle se glissa entre les deux — terrorisant le conducteur — et tourna à angle droit juste à l'instant où le feu passait au vert.

Nick était derrière elle, mais un quart de seconde trop tard. L'automobiliste de la ville, surpris comme un cheval effrayé par la Lotus qui tournait brutalement, se mit sur son passage. Il se dressa sur le frein, la voiture s'arrêtant dans un hurlement de pneus torturés.

Il dirigea sa voiture vers Stinson, réussissant presque à se convaincre qu'il effectuait un travail policier de routine. Il se dit qu'il suivait les ordres de Walker, que, pour une fois, il faisait ce que lui avait dit de faire un supérieur. Mais, bien qu'il ait détesté ça il devait l'admettre, il connaissait la vérité : il lui fallait revoir Catherine Tramell.

La Lotus noire était dans l'allée, le moteur cliquetant en refroidissant. Il pouvait imaginer la jeune femme lâchant le mors de la puissante automobile sur la route côtière, comme si la voiture était faite de chair et de muscle au lieu de caoutchouc et d'acier, la laissant filer comme un cheval de course à travers les épingles à cheveux et les courtes lignes droites, changeant de vitesse en permanence, le moteur gémissant avec force tandis que les gaz pompaient dans les cylindres comme du sang donnant la vie.

La nuit commençait à tomber et il pouvait entendre, sans les voir, les rouleaux se brisant sur la plage, en contrebas de la maison. Une lumière apparut à l'une des fenêtres supérieures et Catherine Tramell passa devant le panneau comme un fantome. Un instant plus tard elle revint et regarda à l'extérieur. Il plongea hors de vue, sûr d'avoir été repéré, mais elle fixait la mer obscure, hypnotisée.

Avec langueur, elle commença à déboutonner son corsage qu'elle ôta et se tint là pendant une seconde ou deux, les seins nus, encadrée par la fenêtre. Puis elle tira le rideau, sa silhouette découpée à travers le tissu, telle une traînée de fumée langoureuse. Nick Curran fixait la fenêtre avec un profond intérêt, le grondement de la mer dans les oreilles, les yeux écarquillés.

Puis la lumière s'éteignit et il l'imagina qui se glissait seule dans son lit propre.

Il fut de retour à San Francisco dans l'heure, penché sur un terminal d'ordinateur dans la salle déserte réservée aux inspecteurs. Ses mains volaient sur le clavier. Il tapa : Hazel Dobkins, femme blanche, 145 Albion Avenue, Mill Valley, puis frappa la touche d'entrée et attendit que le gros cerveau électronique réfléchisse au problème.

La machine compulsa tout d'abord les dossiers de la police de San Francisco et répondit NCP — un sigle qui, en langage policier, signifiait Non connu de la police.

— Merde, souffla doucement Nick, bien qu'il n'en ait pas véritablement été surpris.

Hazel Dobkins avait l'air de la grand-mère traditionnelle, aimant les chats et cuisinant des tartes. Les chances pour qu'elle ait eu une contravention étaient minces, sans parler d'antécédents judiciaires.

L'appareil attendait l'ordre suivant de Nick.

— Et pourquoi pas ? dit-il à voix haute en tapant le code correspondant aux crimes commis dans l'État de Californie, depuis Ukiah jusqu'au tréfonds de Baja.

Il rentra à nouveau l'identité d'Hazel Dobkins et attendit. Il obtint ce à quoi il s'attendait : presque immédiatement l'ordinateur lui répondit par un Dobkins, Hazel, C : rien d'actuel. Bien sûr, « rien d'actuel » n'était pas tout à fait la même chose que « rien du tout ».

L'ordinateur réfléchit un peu plus longuement puis imprima d'autres informations sur l'écran. Nick sentit une légère excitation le gagner au fur et à mesure qu'il lisait les renseignements : Dobkins, Hazel, C : LIBEREE, SAINT QUENTIN, 7 JUILLET, 1965.

— Hello, Hazel, murmura-t-il.

Rapidement, il tapa les codes qui permettraient d'afficher ses précédentes arrestations et fut instantanément récompensé : quatre chefs d'accusation, homicide, juillet 1955 — jugement, janvier 10-11, 1956 — RCF — Court suprême de San Francisco...

— Quatre chefs d'accusation, murmura Nick.

Il toucha le RCF — reconnue coupable des faits — sur l'écran, comme pour s'assurer que c'était réellement là.

— Est-ce que tu n'as rien de mieux à faire que de venir ici et branler cette foutue machine ? demanda une voix derrière lui.

Curran ne quitta pas l'écran des yeux.

— Qu'est-ce que tu fiches là, cow-boy ?

Gus Moran se laissa tomber dans un fauteuil près de Nick Curran.

— Je suis venu branler cette foutue machine, fiston. Tout comme toi.

Il donna une légère bourrade dans l'épaule de son équipier.

— Les grands esprits se rencontrent, hein, Nicky ?

Curran parvint à détacher ses yeux de l'écran.

— Qu'est-ce que tu as trouvé à Berkeley, Gus ?

— J'ai fait la connaissance de beaucoup de représentants de la loi, et j'ai maté les étudiantes. Il y a de sacrées belles filles là-bas, Nick.

— Laisse tomber, Gus. Elles sont trop intelligentes pour toi.

— Ouais, peut-être, mais il y a beaucoup de choses qu'un vieux routier pourrait leur apprendre, tu sais.

— Qu'est-ce que *tu* as appris ?

— J'ai tout appris concernant un professeur de psychologie mort. Noah Goldstein. *Docteur* Noah Goldstein. Mort de multiples blessures en septembre 1977. Et devine quoi ?

— Quoi ? C'est elle qui l'a fait ?

— On ne peut pas prouver ça, fiston, mais ils se connaissaient. Le Dr Noah Golstein était le conseiller académique de la jeune Catherine Tramell.

— A-t-elle été soupçonnée ?

— Non. Non, monsieur. Ils n'ont même pas une déposition d'elle. Ils n'avaient pas de suspects, personne n'en voulait au Dr Goldstein, il n'y a pas eu d'arrestation. Rien de rien. L'affaire n'est toujours pas classée — mais bon courage après toutes ces années. La piste est froide, partenaire.

— Pas si on peut la lier à la mort de Boz.

Gus se pencha pour jeter un coup d'œil sur les informations figurant sur l'écran devant Nick.

— Grand Dieu ! Hazel Dobkins ! Quand on parle d'une piste froide.

Il jeta un regard pitoyable à Nick, en secouant la tête.

— Merci beaucoup, fiston. Je n'avais plus songé à la vieille Hazel depuis des années...

— Tu la connais ?

Gus renifla.

— Si je la connais ? Je n'ai pas pu la chasser de mon esprit pendant des années. Une brave ménagère — trois petits enfants — un bon mari qui ne couchait pas ici et là, pas de problèmes financiers. Pas d'historique de problèmes mentaux, rien.

— Et ?

— Et, un jour la petite Hazel se lève et, venue d'on ne sait où, l'idée la saisit de tous les buter. *Tous*. Elle s'est servie d'un...

— Un pic à glace ? proposa Nick avec espoir.

— Calme-toi, fiston, elle a utilisé un couteau à découper, qu'elle avait reçu comme cadeau de mariage. D'abord elle a tué son mari — elle l'a découpé comme une dinde de Noël —, puis ses trois gosses. L'endroit ressemblait à un abattoir lorsqu'elle a eu terminé.

— Grand Dieu..., souffla Nick.

— Dieu n'a pas eu grand-chose à voir là-dedans, Nicky. Quand Hazel a eu fini de nettoyer sa famille elle a appelé la police et c'est là qu'on l'a trouvée, assise dans le salon, le couteau sur les genoux. Pas de dénégations, pas de folie, rien de rien.

— Mais pourquoi ? Pourquoi a-t-elle fait ça ?

Gus Moran haussa les épaules.

— C'est le plus étonnant, Nick. Personne ne le sait. Les psychiatres n'ont pas pu l'expliquer. Et, bon Dieu, Hazel ne pouvait pas l'expliquer non plus. Elle disait qu'elle ne *savait* pas pourquoi elle avait fait ça.

— Incroyable.

— Si tu n'en savais rien, comment se fait-il que tu sois assis là à te promener dans l'allée des souvenirs avec Hazel ?

En quelques mots, Nick décrivit sa filature de Catherine Tramell et sa rencontre avec Hazel Dobkins.

— Bon sang, constata Gus Moran, elle a de drôles d'amies.

CHAPITRE NEUF

Il revint à la maison de la plage le lendemain juste après midi. Catherine Tramell ouvrit elle-même la porte, portant une petite robe noire moulante. Le tissu lui adhérait au corps comme une seconde peau d'un noir de jais, faisant ressortir ses cheveux blonds et ses yeux d'un bleu profond.

— Salut, dit-elle simplement.

— Est-ce que je vous dérange ?

— Non.

— Question idiote, je suppose. Rien ne vous dérange jamais, n'est-ce pas ?

— Pourquoi n'entrez-vous pas ?

Elle ouvrit la porte en grand et s'éloigna, le précédant dans la maison. Nick Curran la suivit, ses yeux admirant ses fesses dures et fermes qui bougeaient sous la robe.

Tout dans la pièce était resté à peu près dans le même état que lors de sa dernière visite — sauf qu'il y avait plus d'articles découpés sur la petite table, une histoire journalistique complète de la carrière cahotante de Nick Curran, inspecteur de la police de San Francisco. Elle prit l'un des articles et le parcourut avant de le lui montrer. LE FLIC TUEUR SOUMIS A UNE ENQUETE, hurlait le titre.

— Je me sers de vous pour mon policier.

— *Votre* policier ?

— Mon policier. Dans mon livre. J'espère que cela ne vous gêne pas. Cela ne vous *gêne* pas, n'est-ce pas ?

— Est-ce que cela ferait une différence dans le cas contraire ?

Elle sourit et esquiva la question comme un combattant se dérobant devant les coups.

— Voulez-vous un verre ? J'allais justement en prèndre un.

— Non, merci.

Elle hocha la tête.

— C'est vrai, j'avais oublié. Vous avez abandonné tous vos anciens vices. Pas de scotch, pas de Jack Daniel's. Pas de cigarettes, pas de drogue.

Elle sourit par-dessus son épaule.

— Pas de sexe ?

Catherine n'attendit pas la réponse. Elle alla jusqu'au bar, une multitude de bouteilles rassemblées sur une étagère de marbre et un bloc de glace encastré dans un petit évier.

— Je veux vous poser quelques questions, dit doucement Nick.

Elle avait un pic à glace en main et commença à arracher des morceaux du bloc.

— Moi aussi je voulais vous poser des questions.

— Vraiment ?

La glace craqua et éclata tandis qu'elle la frappait avec ténacité.

— Des questions... pour mon livre.

— Vous avez un préjugé contre les glaçons ?

— J'aime les arêtes vives.

Elle faisait passer un mauvais quart d'heure à la glace, la rompant en menus fragments. Elle levait le bras et le plongeait encore et encore sur le bloc, assenant chaque coup de toute sa force.

— Qu'est-ce que vous vouliez me demander ? s'enquit-il.

Elle en avait terminé avec la glace. Elle jeta le pic de côté et puisa une poignée d'éclats qu'elle fit tomber dans son verre avant de le remplir de Jack Daniel's.

— Dites-moi, Nick, quel effet ça fait de tuer quelqu'un ?

Elle avait demandé ça du même ton que pourrait employer le propriétaire d'une maison pour demander à un voisin : mais comment faites-*vous* pour vous débarrasser des mauvaises herbes ?

— Quel effet ça fait ? Pourquoi ne me le dites-vous pas ?

— Je ne le sais pas. Mais *vous*, si. Comment se sent-on ? Puissant ? Désolé ? Malade ? Excité ? Un mélange des quatre ? Ou bien est-ce autre chose ? Quelque chose qu'on ne peut pas connaître tant qu'on n'a pas réellement pris une vie ?

Le dégoût — pour elle, pour son propre passé de violence — apparut fugitivement sur le visage de Nick.

— C'était un accident. Ils se sont mis sur la trajectoire. Tuer n'est jamais... C'était un accident, c'est tout.

— Comment un accident comme celui-là arrive-t-il, Nick ? Est-ce qu'un tel accident peut arriver ? Est-ce que presser la détente ne vous démangeait pas ?

— C'était un accident, insista furieusement Nick. J'avais secrètement infiltré... Je travaillais sur un achat de drogue. Ce sont des choses qui arrivent.

— Qui arrivent comme ça, tout simplement ?

— Ouais. On ne planifie rien. Pas de tuer comme ça, sur un achat de drogue, ce n'est pas planifié à l'avance. Pas comme...

— Johnny ?

— J'allais dire le Pr Goldstein. Noah Goldstein. Ce nom vous dit quelque chose ?

— C'est un nom du passé, Nick. Quatorze ans dans le passé.

— Vous voulez un nom du présent ? Qu'est-ce que celui de Hazel Dobkins évoque pour vous ?

Sans quitter son visage des yeux, elle prit une gorgée de sa boisson. Sa peau était d'un blanc si lumineux qu'il imagina, pendant un instant, qu'il pouvait voir le liquide brun descendre dans sa gorge douce.

— Dobkins ? Goldstein ? Par qui dois-je commencer ?

— Commençons par Goldstein.

— Noah était mon directeur d'études lors de mon arrivée à l'université.

Elle sourit.

— Vous savez, c'est probablement là que j'ai pris l'idée du pic à glace. Pour mon livre. C'est amusant de constater comment l'inconscient fonctionne, non ?

— Hilarant.

— J'aurais dû dire : bizarre de constater comment fonctionne l'inconscient, n'est-ce pas ?

— Et Hazel Dobkins ?

Elle hésita un moment.

— Hazel est mon amie, dit-elle finalement.

Nick Curran se souvint des mots de Gus la nuit précédente : *Bon sang, elle a de drôles d'amies.*

— Votre amie ? Votre amie a liquidé toute sa famille. Trois gosses !

— Elle a été arrêtée, jugée, et elle est allée en prison. Elle n'a pas causé le moindre problème durant les trente-cinq dernières années. Selon les termes consacrés, Nick, elle a été réhabilitée... Bien que je pense que les flics préfèrent dire « elle a payé sa dette envers la société ».

— Je me fous de la façon dont on l'exprime. Ce que je veux savoir, c'est pourquoi ? Pourquoi est-elle votre amie ? Ou bien est-ce simplement que vous collectionnez les monstres ?

— Elle a liquidé toute sa famille. Elle m'a aidée à comprendre la pulsion homicide.

— Mais *elle-même* ne comprend pas pourquoi elle l'a fait.

— J'ai l'impression que vous n'approuvez pas le choix de mes amies, Nick.

— Et moi j'ai l'impression que vous auriez pu en apprendre beaucoup plus sur la « pulsion homicide » à l'école. Vous avez dû étudier ça à Berkeley.

— Seulement en théorie.

Elle but une nouvelle gorgée et l'observa par-dessus le rebord de son verre.

— Bien sûr, vous savez tout de la pulsion homicide, n'est-ce pas... Tireur ?

— Tireur ?

— Que s'est-il passé, Nick ? demanda-t-elle doucement. Avez-vous été attiré ? Avez-vous *aimé* ça ?

— Personne n'aime jamais ça. Personne de sain d'esprit.

— Et vous ? Etiez-vous sain d'esprit ? Parlez-moi de la coke, Nick. Le jour où vous avez tué ces deux touristes

— combien de coke aviez-vous pris ce jour-là ? Ou la nuit précédente ? Quelle était votre dose, Nick ? Un quart de gramme ? Un demi ? Ou bien preniez-vous une pleine dose ? Vous êtes un type plutôt dur.

Plus sa voix était douce, plus ses mots semblaient déchirer.

— J'ignore de quoi diable vous voulez parler. Et je doute que vous-même le sachiez. Vous n'êtes qu'une petite fille riche en train de jouer à des jeux. Vous avez dit aimer les jeux, n'est-ce pas ?

Elle s'était rapprochée de lui. Elle avait posé son verre.

— Vous pouvez me le dire, Nick. Etiez-vous drogué, Nick ? Tellement en train de planer que l'idée de flinguer un couple de citoyens vous attirait ? Ou bien commenciez-vous à être en manque, ce qui faisait trembler votre main ? *Ça*, ce serait un accident. Un accident qui aurait pu vous envoyer en prison, qui vous aurait chassé à tout jamais de la police... Mais il se serait agi d'un accident. Rien que vous puissiez vous reprocher. Une erreur. Un accident.

— J'ai été innocenté, protesta-t-il. Il n'y a même pas eu de procès civil. *C'était* un accident. Il y avait une histoire de drogue, mais je l'achetais, je ne la consommais pas. Compris ?

Elle posa doucement la main sur sa joue et le caressa, comme elle l'aurait fait à un chat.

— Vous pouvez me le dire, Nick, insista-t-elle d'une voix satinée, douce, séductrice.

Il lui saisit durement la main.

— Je ne prenais pas de drogue.

— Mais si.

Elle était très proche de lui. Son souffle lui effleurait le visage ; il pouvait le sentir. C'était doux, comme son parfum.

— Ils ne vous ont jamais testé, n'est-ce pas ? Mais l'Inspection générale le savait. Ils le savaient depuis le début.

— Si l'Inspection générale avait su quoi que ce soit ils auraient...

— Votre femme le savait, n'est-ce pas ?

Sa voix était veloutée.

— Elle savait ce qui se passait. Nicky s'était trop approché de la flamme. Nicky aimait ça, n'est-ce pas ?

Nick craqua. Il lui agrippa les bras et les lui tordit dans le dos, lui envoyant la douleur jusqu'aux épaules. Puis il l'attira. Elle n'était pas surprise. Leurs yeux lançaient des éclairs, plongeaient jusque dans le cerveau de l'autre.

— Nicky aimait ça, murmura Catherine Tramell. Et la femme de Nicky ne pouvait pas le supporter. C'est pourquoi elle s'est suicidée.

La température dans la pièce changea. Le bruit des rouleaux sur la plage se faisait plus fort. La porte d'entrée était ouverte et Roxy se tenait dans l'encadrement. Les cheveux noués au sommet de sa jolie tête, elle était vêtue de noir de la tête aux pieds : un blouson de motard de cuir noir sur un tee-shirt noir ; un jean noir enfoncé dans des bottes noires. Le regard qu'elle jeta à Nick était noir lui aussi.

Catherine Tramell se dégagea d'une secousse.

— Salut, chérie, dit-elle gaiement, comme une maîtresse de maison souhaitant la bienvenue au mari rentrant du bureau.

Elle alla jusqu'à Roxy qu'elle embrassa légèrement sur les lèvres. Il pouvait s'agir simplement d'un salut chic à l'européenne. Il pouvait s'agir de plus que ça. D'un bras, elle enveloppa les épaules mince de Roxy.

— Vous vous êtes déjà rencontrés, tous les deux, n'est-ce pas ?

Nick n'avait pas besoin d'en entendre davantage. Une colère rouge montait dans son esprit et, du fond des nuages brumeux mêlant le meurtre brutal, le péché quotidien et l'attraction irrésistible, une chose devenait claire :Catherine Tramell était sans doute une femme extraordinaire, mais elle n'était pas prophète. Elle ne pouvait pas avoir simplement déduit tout ce qu'elle savait — il fallait plus qu'un diplôme de psychologie de Berkeley pour vous rendre omniscient. Nick savait qu'on l'avait vendu.

Il écarta les deux femmes de son chemin ; la fureur brûlait en lui, blanche et chaude comme la flamme du magnésium.

— Vous ne partez pas déjà, Nick, n'est-ce pas ? demanda Catherine.

Son visage était l'image même de l'innocence.

— Il est encore tôt.

— Laisse-le partir, ma chérie, dit Roxy.

Nick ne laissa rien paraître. Son visage était aussi figé et dur qu'un masque antique. Il franchit la porte sans se retourner une seule fois.

— Vous ferez un personnage fantastique, Nick ! lui cria Catherine.

Peu lui importait. Pour l'instant il était plus intéressé par les faits que par la fiction.

CHAPITRE DIX

Nick Curran établit probablement un record de vitesse sur le parcours reliant Stinson Beach aux bas-fonds de San Francisco. Filant le long de la nationale, une seule idée lui brûlait l'esprit : il avait été vendu, vendu à Catherine Tramell. Il ignorait le pourquoi, mais il avait une bonne idée du comment.

Les flics utilisent quotidiennement des informateurs ; en fait, rares sont les affaires qui ne sont pas dénouées par des informations achetées ou extorquées à un mouchard. Des flics comme Nick avaient une douzaine de mouchards, des indics dans le monde de la drogue, de la mafia, des gangs vietnamiens, des bandes de Jamaïcains, des triades chinoises. La trahison tranquille de la confiance est le fondement du travail de la police ; les criminels détestent les indics, et les flics de même, paradoxalement. Peut-être est-ce la reconnaissance des similarités entre la vie de hors-la-loi et celle de défenseur de l'ordre — les deux camps sont de véritables confréries avec leurs propres codes, leurs credo et leurs tabous — qui forme cette petite parcelle de terrain commun. En dépit du fait qu'ils s'appuient sur des informateurs, les flics éprouvent un profond mépris pour les mouchards, aussi était-il profondément irritant pour Nick de penser que quelqu'un avait donné des informations le concernant.

Il jaillit de l'ascenseur au dixième étage du quartier général de la police et fonça dans le bureau de Beth Garner. La secrétaire de la psychiatre cessa de frapper pendant un quart de seconde et essaya de l'empêcher de faire irruption dans le cabinet de Beth.

— Elle est au téléphone — elle va vous prendre tout de suite, inspecteur Curran. Je vais lui dire que vous êtes ici.

— Peu importe, aboya Nick. Je vais juste lui faire une surprise.

Il faillit enfoncer la porte d'un coup de pied. Il était enragé, suffisamment en colère pour tuer quelqu'un.

Curran arracha le téléphone des mains de Beth Garner et le reposa violemment sur son berceau. Il se pencha par-dessus le bureau jusqu'à ce que leurs visages se touchent presque. Elle se souvint de leur dernière rencontre et recula avec frayeur.

— Qui a accès à mon dossier ?

Beth Garner pâlit.

— De quoi parles-tu, Nick ? Qu'est-ce qui te prend ? Qu'est-ce qui ne va pas ?

Les mots de Nick étaient clairs et soigneusement articulés, et chargés d'une hostilité d'acier.

— Qui a accès à mon foutu dossier ?

— Nick...

Curran l'agrippa par ses fines épaules et l'extirpa violemment de son fauteuil.

— Ne fais pas l'innocente avec moi. Ne me raconte pas de conneries sur le secret professionnel entre le docteur et le patient. Je vais te poser la question encore une fois, et je veux une réponse : à qui as-tu donné mon dossier ?

Il n'avait pas besoin de menacer, elle ne savait que trop qu'il était capable de violence.

— Personne, répondit-elle.

Elle était incapable de le regarder en face.

— Je t'ai prévenue, Beth...

— C'est un dossier psychiatrique confidentiel, Nick. Il serait illégal de...

— C'est le genre de conneries que je t'ai dit ne pas vouloir entendre, Beth.

— Mais c'est la *vérité*.

Il secoua la tête.

— Non, c'est faux. Pas ça, Beth. Ne me mens pas.

— Nick, je...
— C'est l'Inspection générale, c'est ça ? dit-il soudain. L'Inspection est venue te voir et t'a raconté des conneries que tu as avalées, avec l'hameçon, la ligne, et le bouchon. C'est ça ?
— Nick, ils m'ont dit que...
— Qui ça ? demanda Nick. Qui ça « ils », Beth ?
Elle déglutit avec difficulté.
— Nilsen, admit-elle finalement.
— C'est tout ce que je voulais entendre, Beth.

Nick Curran fit irruption dans la salle de l'Inspection générale une minute plus tard, explosant comme une grenade. Il parcourut la rangée de bureaux en se dirigeant droit vers Nilsen avec la précision d'un missile à guidage laser. Le gros inspecteur était assis, détendu, dans son fauteuil rembourré, les yeux sur l'*Examiner* de l'après-midi, une tasse de café montant vers ses lèvres. D'un revers de la main, Nick rejeta le journal et la tasse de papier des mains boudinées de Nilsen, le café se répandant sur son bureau encombré et son costume fripé.
— Bon Dieu, Curran !
Nilsen jaillit de sa chaise, le visage rouge de colère.
— Bordel, qu'est-ce que...
Nick était sur lui. Il l'agrippa par les revers de sa veste et l'écrasa contre le mur. Curran était à la limite, à un cheveu de perdre totalement le contrôle de ses actes.
— Vous lui avez vendu mon dossier, fils de pute !
Nilsen regarda dans les yeux de Curran et y lut une rage aveugle. La peur fusa en lui.
— De quoi parlez-vous ? Vous avez perdu la...
Tout le corps de Nick s'écrasa contre Nilsen, la tête du flic cognant contre le mur. Les autres policiers dans la pièce avaient été paralysés pendant un instant mais se précipitaient à présent à la rescousse de leur confrère.
— Qu'est-ce qu'elle t'a payé, fils de pute ?
Quelqu'un de l'Inspection générale agrippa Nick par les épaules et tenta de lui faire lâcher Nilsen. Nick le renvoya au loin comme s'il n'avait pas eu plus de force

qu'un enfant. Sa main se referma en une étreinte mortelle sur la gorge empâtée de Nilsen et serra.

— *Qu'est-ce qu'elle t'a payé* ?

Nilsen n'aurait pas pu répondre, même s'il l'avait voulu. La poigne de Nick lui avait clos la trachée et les yeux de l'inspecteur semblaient jaillir de son visage devenu écarlate.

— Curran ! hurla l'un des flics dans la pièce. Pour l'amour de Dieu, vous allez le tuer !

Nick n'en avait cure. Sa poigne se resserra. Il était aveugle à toute chose, sauf le visage rubicond et terrorisé qui lui faisait face, et il sentait le doux désir de tuer couler en lui. La pièce, les autres hommes qui s'y trouvaient, étaient très loin de là. Tout ce qui comptait pour Nick, c'était sa haine.

Puis, brusquement, il fut ramené à la réalité par la présence froide, mortelle, et dont le poids ne trompait pas, d'un canon de revolver posé doucement derrière son oreille droite.

— Lâche-le, dit calmement l'un des bœuf-carottes. Lâche-le, Curran. Doucement et sans gestes brusques.

Nick s'immobilisa, mais sa poigne se desserra juste assez pour que Nilsen puisse douloureusement avaler une bouffée d'air. Curran jeta un coup d'œil par-dessus son épaule.Il lâcha complètement sa prise et Nilsen s'écroula, ahanant et hoquetant, pressant ses mains sur sa gorge meurtrie.

Le policier qui avait posé son arme contre la tête de Curran parla à nouveau, toujours très calme.

— Maintenant, si vous et Nilsen avez un petit différend, je suggère que vous régliez ça en dehors du bureau. D'accord ? Et pour le moment, Curran, vous sortez simplement d'ici. Pas un mot de plus. Pas de blagues. Vous vous tournez et vous partez. Pigé ?

— Pigé, dit Nick sobrement.

— C'est bien. Allez, maintenant.

Nick Curran fit demi-tour et partit calmement en direction de la porte, ignorant le court museau du revolver toujours pointé sur lui.

Nilsen, quant à lui, n'était pas si calme. Il s'était hissé sur ses pieds, le visage toujours cramoisi de douleur, d'amour-propre malmené, et de rage.

— Tu t'es baisé toi-même, Tireur ! hurla-t-il en direction du dos de Nick. Tu m'entends ? Tu es viré ! Tu seras viré de ce service même si c'est la dernière chose que je fais ! *Tu es viré* !

Nick ne parut pas entendre le flic enragé, ou, s'il l'entendit, ne pas s'en soucier.

Il ne fallut pas longtemps pour que la nouvelle de l'altercation entre Nick Curran et Nilsen fasse le tour du quartier général. Comme tout le monde les policiers aiment les commérages. Gus Moran fut alarmé lorsqu'il entendit parler de ce qui s'était passé. C'était une chose de se faire un ennemi d'un autre policier — même des supérieurs comme Talcott —, mais c'en était une tout autre que de se mettre à dos l'Inspection générale. Les types de l'IG pouvaient vous rendre la vie intenable s'ils le décidaient. Chasser des flics de la police était leur travail. Nick faisait déjà du patinage sur une glace très fine avec les balançoires, maintenant il était sûr de tomber dans les eaux glacées de la section Enquête.

Gus le rattrapa à l'instant où il jaillissait de l'immeuble pour gagner le parking. Il n'y avait aucun doute dans l'esprit de Moran sur l'endroit où un flic *normal* se rendrait après un accrochage avec un type de l'Inspection générale — le bar le plus proche, le Cent-Quatre excepté. Mais avec un chien fou comme Curran il était impossible de dire où il allait se diriger ou dans quel genre de problèmes il allait se retrouver impliqué.

— Nick ! Nick ! Attends !

Le temps qu'il rejoigne son équipier, Gus sifflait et soufflait, héritage de trop nombreuses cigarettes et de trop de bières.

— Bon Dieu, qu'est-ce qui se passe, fiston ? Tout l'immeuble dit que tu as voulu tuer Nilsen. Et à mains nues, encore. Il va falloir que tu contrôles tes nerfs, fiston, ou ça va t'entraîner dans des eaux brûlantes.

Nick prit une profonde inspiration. Il ne pouvait pas en vouloir à Gus Moran. C'était la seule personne du service qui s'inquiétât véritablement pour lui.

— Ecoute, ne t'en fais pas pour ça. Il ne va rien se produire. Tout ira bien.

Gus Moran secoua lugubrement la tête.

— Non, monsieur. Non, tout n'ira pas bien. Tu le sais, je le sais. Ils voudront ton insigne.

— Peut-être qu'ils peuvent l'avoir.

— Nicky, tu n'es pas sérieux.

Les épaules de Nick s'affaissèrent sous le poids de la fatigue et du désespoir qui s'abattaient sur lui.

— Je ne sais pas. Tout ce que je sais de façon certaine, c'est que je suis malade et fatigué qu'on joue avec moi.

Gus ne put qu'arborer son sourire tordu.

— Et tu sais quoi ? demanda-t-il. D'après ce que j'ai entendu dire, tu as une façon vraiment convaincante de le démontrer.

— Elle sait, Gus.

Il n'était nul besoin d'identifier nommément cette « elle ». Ils savaient tous deux que Catherine Tramell n'apportait que des ennuis.

— Sait ? Sait quoi ? Elle ne fait que te baiser la cervelle, fiston, oublie tout ça.

— Elle sait où je vis, elle sait comment je vis. Elle est dans ma tête. Elle vient me chercher et je serai prêt à la recevoir.

— Qu'est-ce qu'il y a entre vous deux ?

Un moment, Nick Curran lutta avec ses craintes et ses désirs, sa fascination couvant pour Catherine Tramell. Longtemps avant de l'avoir réalisé, il l'avait eue dans la peau, et elle rongeait quelque chose de profondément enfoui dans son âme. Il secoua la tête et faillit sourire.

— Je ne sais pas. Je ne sais vraiment pas ce qui se passe.

— Mais quelque chose, *quelque chose* se passe.

— Ouais. Quelque chose.

Gus Moran entoura les épaules de son partenaire d'un bras protecteur.

— Au diable tout ça, je vais prendre une journée de congé. Je te paye un verre...

— Nann, je ne crois pas. Je dois aller quelque part et réfléchir.

— En tout cas, ne va pas à Stinson pour réfléchir, Nick.

— Non, ne t'inquiète pas. Je n'irai pas.

Nick commença à s'éloigner.

— Hé, fiston, fais-moi une faveur...

Nick s'arrêta et se retourna à demi vers son équipier.

— Tout ce que tu veux, Gus.

— Sois prudent.

Nick Curran sourit.

— Eh bien, *presque* tout ce que tu veux. Mais pas ça.

Moran haussa les épaules.

— Ouais. C'est bien ce que je pensais. Tu sais, Nick, il est en train de t'arriver une chose que je n'aurais jamais cru possible.

— Vraiment ? Quoi donc ?

Gus Moran eut un large sourire.

— Ta folie. Elle devient prévisible.

Les rires préenregistrés hurlaient hystériquement, des convulsions d'hilarité qui se déversaient de la télé de Nick. Il était assis dans un fauteuil en face du poste, fixant intensément le triste spectacle sur l'écran. Il avait une bouteille de Jack Daniel's coincée comme un bébé entre les genoux, et une cigarette pendait de ses lèvres. Le cendrier près de son coude était plein à déborder ; la bouteille était à moitié vide.

Nick avait l'air de regarder l'émission, de l'étudier intensément, comme s'il s'agissait de quelque film étranger difficile avec des sous-titres et non pas d'une stupidité débile destinée à combler une demi-heure d'antenne. La vérité était, cependant, qu'il ne voyait pas du tout le spectacle. Il n'aurait su dire ce qui avait déclenché l'explosion de rires en boîte, il ne connaissait même pas le titre de l'émission — tant il était perdu dans ses pensées.

Comme un poison l'affaiblissant, Catherine Tramell s'était infusée dans son sang, se répandant partout en lui. Son ahurissement, sa désorientation, étaient comme une fièvre ; il voyait, avec une clarté de cristal, mais avec un air d'irréalité fantastique, toute une file de tableaux : il se voyait lui faire l'amour, passionnément, tendrement ; il se voyait la tuant, lui faisant exploser de sang-froid le cœur avec son .38. Il se voyait faire les deux...

Il ne savait pas depuis combien de temps quelqu'un frappait à la porte et il bougea à peine un muscle lorsqu'il entendit la voix inquiète de Beth Garner, l'appelant à travers le battant.

— Nick... Nick, je sais que tu es là. S'il te plaît, ouvre la porte.

Ses yeux se posèrent sur la porte, comme s'il pouvait voir à travers.

— Va-t'en, Beth. Je suis mon émission préférée.

— Nick, s'il te plaît..., demanda-t-elle d'une voix suppliante.

— Je ne veux pas te voir, dit-il sèchement.

Il y eut un moment de silence et il pensa qu'elle était partie, tout simplement. Puis il entendit le bruit d'une clef tournant dans la serrure, le pêne glissant en arrière. La porte s'ouvrit et Beth se tint sur le seuil, timide, effrayée.

— J'ai toujours ma clef, expliqua-t-elle, lui montrant la clef, comme s'il pouvait ne pas la croire.

Nick Curran aspira la dernière bouffée du mégot de cigarette à ses lèvres, inhalant jusqu'à ce que le filtre commence à se consumer, se brûlant légèrement les phalanges.

— J'ai dit que je ne voulais pas te voir ici, Beth.

Il tendit la main vers une autre cigarette et l'alluma.

— Pose simplement les clefs sur la table et pars.

Même Beth Garner pouvait se mettre en colère. Elle jeta le trousseau de clefs sur le sol à ses pieds.

— Bon sang, Nick, ne me fiche pas dehors ! Tu me dois plus que ça.

Calmement, il se leva, posa soigneusement la bouteille et ramassa le trousseau de clefs.

— Je ne te dois rien, Beth. Tu ne me dois rien non plus. Nous avons couché ensemble — combien ? — dix ou quinze fois.

— Je ne savais pas que tu tenais le compte de tes exploits, dit-elle d'un ton neutre.

— Ne te flatte pas, Beth. Ce ne fut jamais suffisamment mémorable pour justifier quelque devoir que ce soit.

Les prunelles de la jeune femme se rétrécirent, émettant la haine comme une balise.

— Parfois, je te déteste vraiment.

Nick sourit, mais il n'y avait pas d'amusement dans ses yeux.

— Ah oui ? Eh bien, pourquoi ne te trouves-tu pas un thérapeute amical pour chasser un peu de cette hostilité ?

Il se tut un instant pour tirer sur sa cigarette.

— Tu vois, si tu pouvais aplanir certains de *tes* problèmes, Beth, tu t'épargnerais une tragédie.

— Tragédie ? Bon sang, de quoi parles-tu ?

— Peut-être que tu pourrais jouir de temps en temps... Avant que le prochain type meure d'ennui.

Beth tressaillit comme si elle avait été giflée. Les mots venimeux et bas semblèrent rester suspendus en l'air entre eux deux un moment, puis ils pénétrèrent, comme de l'eau dans une terre desséchée.

Soudain les lèvres de Beth s'incurvèrent et elle lui sauta dessus, les mains tordues et courbées comme des griffes, ses ongles rouges tendus comme des serres. Il pouvait sentir la chaleur de sa colère, brûlante comme de la lave. Elle voulait lui arracher les yeux. Elle voulait sentir son sang sur ses lèvres. Elle voulait le faire plus souffrir qu'il n'avait jamais souffert auparavant.

Nick l'agrippa par les poignets et la tint à distance, sentant sa haine envers lui pulser dans ses veines, fuser dans ses muscles et ses tendons. Elle se débattit un instant, sa colère éclatant, puis brûlant si fort qu'elle se consuma toute seule. Aussi brusquement qu'elle avait éclaté, elle disparut et Beth se ramollit dans ses bras. Il la repoussa.

Beth Garner enfouit son visage dans ses mains un moment et trembla en prenant conscience de l'animosité qu'elle avait ressentie quelques secondes plus tôt à peine. Personne n'a plus conscience des dangers d'une perte de contrôle qu'un thérapeute pratiquant.

— Je suis désolée..., murmura-t-elle. Je suis désolée... Je ne me comporte pas ainsi habituellement.

Nick Curran la regarda avec une espèce de pitié. Il secoua lentement la tête.

— Comment as-tu pu le laisser faire, Beth ? Comment as-tu pu donner mon dossier à ce fumier ? J'avais confiance en toi, Beth. Tu peux ne pas le croire, mais c'est vrai...

— Je suis désolée, Nick. Mais je devais le faire. J'ai dû lui donner le dossier. Je n'avais pas d'autre moyen.

— Tu devais ? Pas d'autre moyen ? Pourquoi, pour l'amour de Dieu ? Tu devais savoir que tu donnais à Nilsen ma...

Il eut un geste de la main pour l'écarter.

— Laisse tomber. Cela n'a plus d'importance.

Des larmes perlaient au coin des grands yeux bruns de Beth Garner.

— Nick, il allait recommander qu'on te renvoie de la police. Il n'acceptait pas mon évaluation. Il disait qu'elle n'était pas objective. Alors j'ai conclu un marché avec lui pour qu'il revoie lui-même les comptes rendus des séances. Je ne pensais pas qu'il les montrerait à quelqu'un.

Elle lui lança un regard implorant.

Pendant un instant il fut tenté de la prendre dans ses bras et de la réconforter, mais une vague de dédain glacé le submergea. Son visage se transforma en pierre.

— Tu as fait ça pour moi ?

— Oui, oui, c'est ça. Je m'inquiète pour toi. Je l'ai fait pour toi.

— Tu n'as pas compris ? Objective ! Elle est bien bonne... Quand il s'agit de moi et de Nilsen, Sigmund Freud lui-même n'aurait pas été suffisamment objectif pour ce fumier. Il voulait apprendre des saloperies sur moi, Beth, et tu étais la meilleure source. Il t'a roulée pour que tu me vendes. Il t'a roulée et tu es tombée dans le panneau.

— Nick, s'il te plaît...

Il lui tourna le dos.

— Fiche le camp d'ici, Beth, dit-il doucement. S'il te plaît...

— J'aimerais que tu...

— Pars, Beth.

Il ramassa sa bouteille de Jack Daniel's et avala une longue gorgée.

Elle le fixa d'un air implorant un moment encore, mais elle savait au fond de son cœur qu'elle l'avait perdu, que cette trahison était le seul péché qu'il ne lui pardonnerait jamais.

Plusieurs heures plus tard, au plus profond de la nuit, le Jack Daniel's depuis longtemps épuisé, les émissions de télévision s'étant fondues dans un nuage gris d'électricité statique, Nick Curran s'endormit comme une masse sur son divan. Son cerveau imbibé d'alcool était embrumé par un magma de rêves désordonnés, de cadavres, de verres du désespoir et de balles perdues. Les images se mélangeaient, Catherine Tramell, Roxy, Gus, Beth, Talcott et Walker. Il y avait les œuvres d'art déformées et distordues que Catherine avait suspendues dans son salon, le corps de Johnny Boz suintant de sang, et elles s'entremêlaient avec les scènes purement imaginées de Hazel Dobkins tuant ses enfants, et son mari, des années plus tôt.

Quelque part dans son cerveau il savait qu'il devait faire cesser toutes ces tueries, qu'il devait sonner l'alarme — puis miraculeusement les cloches se mirent à sonner.

Il s'éveilla en sursaut au carillon strident du téléphone.

CHAPITRE ONZE

Il plongea vers le combiné comme s'il s'était agi d'une bouée de sauvetage. Les mots qu'il entendit percèrent comme des flèches empoisonnées dans la brume qui lui voilait le cerveau. Nick sentit la mare de bourbon dans son estomac cogner comme l'eau de cale dans un vieux rafiot.

— Ouais, réussit-il à dire. D'accord.

Il ne pouvait pas mettre un nom sur la voix à l'autre bout du fil, mais il sut à l'instant où il l'entendait qu'il avait affaire à un flic, et que ce flic parlait officiellement. Le policier cracha quelques phrases brèves. Il dit à Nick ce qui était arrivé et où on l'attendait dans moins de cinq minutes, puis il raccrocha.

Curran s'était réveillé ivre, mais le message avait eu pour effet de dissiper son intoxication plus vite qu'un soleil d'été ne brûle une brume matinale. Bien qu'il ait été sobre à présent, le choc de ce qu'il venait d'entendre le maintint cloué au divan. Quelques instants s'écoulèrent avant qu'il ait la force de se hisser sur ses pieds et de se diriger vers la porte.

Il trouva le cirque habituel sur la scène du crime dans le parking derrière le Cent-Quatre, sauf que cette fois, dans la mesure où un policier était impliqué, c'était peut-être un peu plus grandiose, avec des voitures pie rangées dans tous les coins et des uniformes alentour, comme s'ils espéraient que le criminel allait revenir sur les lieux du crime. Nick fut frappé, en sortant de sa Mustang, par la pensée qu'ils pouvaient le considérer exactement sous cet angle.

Walker, Gus et deux autres types de l'Inspection générale se tenaient autour d'une grosse Lincoln. Aucun d'eux ne parut heureux de voir Nick — non pas qu'il ait lui-même été en extase à l'idée de les revoir, en fait. La foule autour de la voiture s'écarta à l'approche de Nick, comme s'il apportait la peste.

Gus Moran braqua une lampe sur le siège avant de la luxueuse voiture. Martin Nilsen, anciennement de l'Inspection générale du service de la police de San Francisco, y était affalé. Une large flaque de sang sombre, presque noir, imbibait le velours, tel un sinistre halo autour de sa tête.

— Une seule balle, murmura Gus. Tirée à bout portant. Ça ressemble à un revolver de calibre .38.

Aucun des hommes rassemblés là n'avait besoin qu'on lui explique qu'un .38 était l'arme standard fournie aux forces de police de San Francisco.

— Donnez-moi votre arme, Nick, dit Walker en s'excusant presque :

— Bon Dieu, Phil, dit doucement Nick, vous ne croyez pas que je...

— Donnez-moi votre arme, c'est tout, Nick. S'il vous plaît...

Curran haussa les épaules, glissa l'arme hors de son étui d'épaule et la lui tendit. Le chef des Homicides la prit et renifla le canon, comme un connaisseur en vin testant un cru à la provenance douteuse, avant de secouer la tête. Il passa l'arme à l'un des hommes de l'Inspection générale.

— Bien, ce n'est pas grand-chose, Nick, mais cette arme n'a pas été utilisée récemment.

— Pas depuis que j'ai fait mon tir de contrôle au stand de la police il y a deux ou trois semaines. Je n'ai pas tué Nilsen. Vous le savez.

— Tout ce que je sais, c'est qu'il n'a pas été tué avec cette arme, Nick. C'est tout ce que je peux dire de façon formelle.

Walker ne regarda pas Nick en face. Il se tourna simplement et s'éloigna vers sa propre voiture.

Le regard de Curran passa d'un visage à l'autre, puis se porta sur le dos de Walker battant en retraite.

— Vous pensez que j'ai...

— Pas moi, fiston, dit Gus. Mais, je dois te le dire, j'ai l'impression que je représente une opinion minoritaire par ici...

Le lieutenant Jack Sullivan, également de l'Inspection générale et presque aussi emmerdant que Jack Nilsen l'avait été, fit un pas en avant avec sur le visage un air de dire « c'est moi qui commande ici ».

— Curran, vous retournez au quartier général pour le moment. Nous aurons à discuter, vous et moi.

Sullivan n'avait pas le ton de quelqu'un l'invitant à une aimable discussion autour d'une tasse de café.

— Suis-je suspect, Sullivan ?

— Peut-être.

— Alors lisez-moi mes droits et arrêtez-moi.

Nick fut frappé de constater qu'il prononçait presque les mêmes mots que ceux dont Catherine avait usé envers lui.

Sullivan haussa les épaules.

— Si vous voulez qu'on procède comme ça, Curran, nous pouvons vous l'accorder.

— Ce serait un plaisir, dit Morgan, un autre emmerdeur de l'IG.

— Allez, Nick, dit Gus Moran en s'interposant entre son équipier et les deux policiers. Fais-toi une faveur une fois dans ta vie. Coopère avec ces types...

Pendant un instant ce fut comme si Curran allait exiger qu'on lui lise ses droits constitutionnels et qu'on lui passe les menottes, mais il n'y avait pas de plus grande humiliation pour un policier, et même lui n'en était pas encore arrivé là.

— Je redescends en ville, Sullivan, juste pour vous prouver que je coopère toujours avec les forces de la loi, comme un bon citoyen conscient de son devoir.

— Bien.

— Et pour vous prouver que je n'ai pas tué ce...

Il eut un hochement de tête en direction du cadavre de Nilsen.

— Cet officier de police.

— Rien ne me ferait plus plaisir, Curran, dit Sullivan.
Mais personne ne crut qu'il le pensait vraiment.

Ils conduisirent Nick dans la même salle d'interrogatoire que celle qu'ils avaient utilisée pour Catherine Tramell. Walker, Talcott et Gus Moran étaient assis là, mais loin de la table, comme en arrière-plan, tandis que Sullivan et Morgan occupaient le devant de la scène, faisant subir le troisième degré à Nick Curran. Tout le monde savait que c'était un spectacle organisé par l'Inspection générale et qu'elle clouerait Nick au pilori ou lui donnerait un irréprochable certificat de bonne conduite.

— Vous n'aimiez pas Marty Nilsen, n'est-ce pas, Curran ? dit Morgan, comme un coup de théâtre judiciaire dans un débat houleux.

— Ce n'était pas un secret. Je parierais qu'il y a des gens que vous n'aimez pas, Morgan. Je parierais qu'il y a des tas de gens qui ne vous aiment pas.

— Là n'est pas la question.

— Vous l'avez agressé cet après-midi, reprit Sullivan, devant une douzaine d'officiers de police.

— C'est exact. Et alors ? D'accord... je lui ai sauté dessus. J'ai perdu mon sang-froid.

— Peut-être que vous ne l'avez jamais retrouvé. Peut-être que vous avez attendu Nilsen à la sortie du Cent-Quatre et lui avez collé une praline dans la tête. Peut-être que vous vouliez vous venger de lui pour vous avoir mené la vie si dure. C'est possible, non ?

— Je me fichais pas mal que Nilsen me mène la vie dure, Morgan. Je le remarquais à peine.

— Alors qu'est-ce qui vous a pris ? demanda Sullivan. Pourquoi le haïssiez-vous tant ?

— Je ne le haïssais pas. Mais il... Ecoutez, Nilsen a mis la main sur mon dossier psychiatrique. Celui que le service a composé après que j'ai buté ces deux touristes.

Talcott tressaillit. Il détestait entendre une chose aussi horrible exprimée aussi crûment. Il aurait de beaucoup préféré les termes cliniques de Beth, traumatisme, ou incident.

— Ce sont des conneries ! s'emporta Morgan.

— Je sais qu'il l'a fait. Mais, pire que ça, il s'en est servi. Il l'a montré en dehors du service. Il s'est servi de mon propre dossier contre moi.

— Avez-vous la moindre preuve de ça ? Avez-vous la preuve qu'il ait effectivement montré votre dossier psychiatrique à qui que ce soit ? Avez-vous seulement la moindre preuve qu'il ait *eu* votre dossier ?

Bien sûr que Nick avait cette preuve, il avait beaucoup de preuves — mais s'il leur parlait de Catherine Tramell et de ses façons surnaturelles de lire dans son esprit et son comportement ils penseraient qu'il était devenu complètement cinglé ; s'il leur disait que Beth Garner lui avait confessé avoir donné le dossier à Nilsen, alors ce serait elle qui aurait des ennuis. Il n'y avait qu'une chose qu'il puisse faire : mentir.

— Je demande une preuve, Curran. En avez-vous ?

Nick Curran secoua la tête.

— Non... Non, je n'ai aucune preuve de quoi que ce soit.

— Alors vous n'avez rien, observa Morgan.

— Sauf que je ne suis pas suffisamment cinglé pour me bagarrer avec quelqu'un puis quelques heures plus tard lui faire sauter la tête avec un .38 de service. Ça doit compter pour quelque chose, non ?

— Pas tellement. Les gens font des choses folles, parfois, vous le savez, Curran.

La porte de la salle d'interrogatoire s'ouvrit et Beth Garner entra. Elle avait des cercles sombres sous les yeux, comme si elle était restée éveillée toute la nuit, avant d'avoir été tirée de son lit par les mauvaises nouvelles. Elle lança un coup d'œil inquiet à Nick Curran.

— Et voici notre experte en choses folles, dit Morgan.

La dernière personne que Sullivan voulait sur place était la psychiatre personnelle de Curran.

— Nous vous parlerons plus tard, si vous n'y voyez pas d'inconvénient, docteur Garner.

— J'aimerais assister à ceci, je pense pouvoir être utile.

— Je préférerais vraiment...

Assez curieusement, ce fut Talcott qui rompit l'équilibre. Mieux vaudrait voir Curran étiqueté comme flic fou que de devoir admettre devant le monde extérieur qu'un membre du service de la police de San Francisco avait tué un collègue de sang-froid.

— Je ne vois rien de mal à ce que le docteur Garner reste avec nous, si l'inspecteur Curran n'y voit pas d'objection.

Nick haussa les épaules.

— Je m'en fiche.

Beth Garner hocha la tête et prit une chaise, s'asseyant juste au bord, anxieuse et tendue.

— Où étiez-vous cette nuit ? demanda Morgan.

— Chez moi, répondit Nick. J'avais mis la télé.

— Toute la nuit ?

— Ouais.

— Qu'est-ce que vous avez regardé ?

— Je ne sais pas. Des conneries.

Il se souvenait à peine avoir allumé le poste, et encore moins des programmes qui avaient défilé sur l'écran.

— Avez-vous bu ? demanda Sullivan.

Les yeux de Curran filèrent jusqu'à Beth comme des phares de voiture à pleine puissance.

— Oui, j'ai bu.

Sullivan fronça les sourcils.

— Je croyais que vous étiez censé ne plus boire.

— Je n'ai pas bu durant un bon bout de temps. Pendant plus de deux mois j'ai été sec comme un os. A présent, quand je rentre chez moi je prends un ou deux verres. Je peux le contrôler. Et je ne bois pas lorsque je ne suis pas supposé le faire. Je ne bois pas en service, comme un bon flic.

— Mais est-ce que vous avez bu ?

— Je viens de vous le dire.

— Combien ?

— Un verre ou deux. Comme je vous l'ai dit.

— Quand avez-vous recommencé ? Vous êtes resté sobre pendant si longtemps...

— J'ai recommencé il y a quelques jours. J'avais arrêté de boire parce que *je* le voulais. J'ai recommencé parce que *je* le voulais. Vous avez un problème avec ça, lieutenant ?

— Non, pas de problème. Tant que vous ne prenez pas une cuite et ne décidez pas de sortir commettre une idiotie. C'est tout.

Beth Garner intervint.

— J'ai vu l'inspecteur Curran chez lui vers dix heures la nuit dernière. Il était sobre et lucide.

Elle avait parlé d'une voix assurée de clinicien, sur un ton très détaché.

Sullivan lui jeta un regard soupçonneux.

— Et que faisiez-vous chez l'inspecteur Curran la nuit dernière à dix heures, si ma question ne vous dérange pas trop ?

Beth n'hésita qu'un quart de seconde avant de répondre.

— J'étais là en ma qualité de thérapeute de ce service. J'avais eu des échos de son altercation avec le lieutenant Nilsen et j'ai pensé qu'il aurait peut-être besoin de conseils.

— Au milieu de la nuit ? railla Morgan.

— Ce n'était pas le milieu de la nuit, lieutenant. Je vous l'ai dit, il était environ dix heures. Et quoi que vous puissiez penser de ma profession vous devriez vous souvenir que je suis de service vingt-quatre heures sur vingt-quatre.

— Très impressionnant, ricana Morgan. Très dévoué de votre part. Très pratique.

— Et comment vous a paru l'inspecteur Curran... docteur ? demanda Sullivan.

— Ainsi que je l'ai dit il était lucide et sobre. Il a exprimé des regrets pour l'incident avec Nilsen et n'a pas fait preuve d'hostilité.

— Combien de temps êtes-vous restée là bas ?

Elle fixa franchement Nick Curran, soutenant son regard.

— Je suis restée environ un quart d'heure. J'ai constaté qu'il n'y avait pas de raisons pour que je m'inquiète, et je suis partie.

Nick détourna les yeux et chercha une cigarette, l'allumant et avalant avidement la fumée jusque dans ses poumons.

— Il est interdit de fumer dans cet immeuble, aboya Morgan.

Walker, Talcott et Gus Moran surent *exactement* ce que Curran allait répondre :

— Qu'est-ce que vous allez faire ? Me citer à comparaître pour ça ?

— Écoutez, Curran... dit Morgan avec colère en se levant à moitié de son fauteuil.

Sullivan coupa net la tirade de Morgan :

— Je vais vous le demander une bonne fois, Nick, pour que ce soit noté : l'avez-vous tué ?

Nick n'eut pas un instant d'hésitation.

— Non.

— Vous en êtes sûr ? insista Sullivan.

— Allons, je l'ai déjà dit. Je vais foncer dans son bureau devant tout le monde au milieu de l'après-midi puis, la nuit venue, je vais le tuer ? Appelez ça idiot, fou, ce que vous voulez, je ne suis pas suffisamment idiot ou fou pour faire ça.

— Lui avoir sauté dessus comme ça avant, constata Morgan, ça vous ôte de la liste des suspects lorsqu'on le tue. Ça vous fournit un alibi.

— Comme le fait d'écrire un livre décrivant le meutre d'un type vous ôte de la liste des suspects quand on le tue, déclara Walker.

Il échangea des clins d'œil et des sourires de connivence avec Moran et Curran.

— Vous savez, lieutenant, vous avez peut-être bien raison là-dessus, constata Nick.

Sullivan et Morgan comprirent qu'ils étaient laissés en dehors de la plaisanterie et cela ne leur plut pas.

— Je ne comprends pas, dit Sullivan. De quoi diable parlez-vous ? Quel livre ?

— Laisse tomber, Artie, dit Walker. Ça n'a aucun rapport. Une blague entre nous, c'est tout.

— Une blague ? Un foutu inspecteur de l'IG se fait flinguer, et vous autres connards des Homicides vous faites des *blagues* ? Qu'est-ce que c'est que ces conneries ?

Le visage de Morgan était devenu tout rouge.

Talcott n'apprécia pas beaucoup la plaisanterie non plus.

— Il n'y a rien de drôle, annonça-t-il sèchement.

Il se leva.

— Vous êtes en congé, Curran.

Il fixa Beth Garner avec ostentation.

— En congé jusqu'aux résultats d'une enquête psychiatrique.

Il n'avait pas besoin de prononcer le reste de la sentence, ils savaient tous ce qu'il voulait dire : qu'il rate les tests psychologiques, et Curran ne ferait plus partie de la police.

L'interrogatoire était terminé, pour le moment. Talcott fila rapidement hors de la pièce, traînant Sullivan et Morgan dans son sillage. Walker partit seul.

Gus Moran gratta la barbe naissante sur ses joue.

— Qu'est-ce que vous diriez, Nick, doc, de venir prendre le petit déjeuner à la maison ? Une grosse assiette de bon cholestérol à la mode de la police : quelques œufs sur de la margarine, des saucisses, du bacon... Je vous invite.

— Merci, Gus, mais pas pour moi.

— Et vous, doc ?

— Je vais raccompagner Beth à sa voiture, Gus.

Moran haussa les épaules.

— Je suppose que ça veut dire non, hein ? Eh bien, je pense que je vais acheter le *Chronicle* et faire du mal à mes artères tout seul.

Il partit d'une démarche traînante, les épaules voûtées par la fatigue et le poids de ses soucis.

Nick Curran prit Beth Garner par le bras et la guida vers la porte. Même le quartier général de la police d'une grande ville connaît une certaine accalmie dans les heures précédant l'aube. Les couloirs étaient vides de flics et de criminels, leurs places prises par des gens du service d'entretien et les femmes de ménage ; les corridors étaient silencieux, à l'exception du ronflement des machines utilisées pour polir le sol de marbre.

Beth lui jeta un regard en biais, comme si elle n'était pas certaine de la conduite qu'il allait adopter, ni de son état d'esprit. Nick Curran perçut sa perplexité.

— Je voulais juste te remercier.

Il avait parlé calmement, d'une voix douce et aimable.

— C'était le moins que je puisse faire, Nick — si on

considère les ennuis dans lesquels je t'ai plongé avec ces rapports.

— Tu n'avais pas besoin de me donner un alibi. Après ce que j'ai dit et fait, tu aurais pu me laisser pendre et sécher...

— Pourquoi aurais-je voulu faire une chose pareille ?

Nick eut un sourire sans joie.

— Parce que je l'aurais mérité.

— Oublie ça...

Elle sourit chaleureusement.

— Comment sais-tu que Catherine Tramell a vu ton dossier ?

— Simple. Elle sait des trucs me concernant que je n'ai dits qu'à toi.

Beth Garner secoua la tête, comme si elle ne parvenait pas à y croire.

— Elle doit être vraiment spéciale — d'un point de vue clinique, je veux dire.

— Comment était-elle en classe ?

— Je la connaissais à peine — elle me flanquait déjà la frousse, malgré tout.

Nick tint ouvertes les grandes portes de verre de l'immeuble du quartier général.

— La frousse ? Pourquoi ?

Beth frissonna. Il était difficile de dire si c'était dû au froid ou à ses souvenirs.

— Je... je ne sais pas pourquoi. C'était il y a longtemps. Je ne me souviens pas vraiment.

Ils s'arrêtèrent devant sa voiture.

— Nick, tu dois te reposer un peu. Promets-moi que tu le feras.

— C'est juré.

Elle l'embrassa rapidement, doucement sur la joue.

— Bien.

Elle fouilla dans son sac à la recherche de ses clefs de voiture, les trouva et ouvrit la porte.

— Rentre chez toi, Nick. Dors quelques heures — tu te sentiras beaucoup mieux.

Mais il y avait une chose qu'il pouvait faire immédiatement et qui le ferait se sentir mieux.

— Beth, je ne pensais pas ce que je disais. A propos de...

Elle leva la main, comme un policier arrêtant la circulation, lui coupant la parole.

— Si, tu le pensais. Je suis une grande fille. Je peux le supporter.

— Beth...

— Rentre chez toi, Nick.

Il resta debout dans le parking, le temps qu'elle disparaisse. Il ne rentra pas chez lui. Il attendit qu'elle soit hors de vue, puis se mit à la recherche de Gus pour partager une assiette de pur cholestérol en attendant que la vie reprenne au quartier général.

A neuf heures, Nick supposa qu'Andrews, l'un des autres policiers de l'équipe chargée de l'enquête sur le meurtre de Boz, serait au bureau.

Walker fronça les sourcils depuis sa place lorsque Nick pénétra dans la salle des Homicides. Le regard noir était éloquent. Il disait : que diable foutez-vous là ?

— Je suis juste venu nettoyer mon bureau, lui jeta Nick.

— Vous avez cinq minutes, Nick, répliqua Walker. Après quoi fichez le camp d'ici.

— Hé, pas de problème.

Il espéra qu'il offrait l'image de la plus pure innocence. Andrews était assis à son bureau, en train de taper furieusement à la machine, mettant en ordre les notes griffonnées sur un bloc près de lui.

— Hey, comment ça va, Sam ?

Andrews toisa Nick avec une suspicion exagérée.

— Comment je vais ? Je vais bien, Nick. Et toi ? Tu vas finir avec le record de congés pour raisons psychiatriques de toute la police de San Francisco.

— C'est un talent naturel chez moi, rétorqua Nick en se penchant sur le bureau d'Andrews. Il jeta un coup d'œil à Walker dans son cube de glace, puis baissa la voix.

— Tu as trouvé des informations concernant ses parents ?

— Tu es en congé de maladie, mon vieux, murmura Andrews. Maladie *mentale*, Nick. Je suis en train de parler à quelqu'un qui est peut-être cinglé.

Nick sourit.

— Tu sais que je suis cinglé, Sam. Qu'est-ce que tu as trouvé ?

Andrews jeta un bref coup d'œil en direction de Walker, puis laissa retomber ses yeux vers son rapport.

— Le bateau a explosé. Il y avait une fuite dans l'arrivée du gaz et un historique de deux réparations antérieures. Il y avait deux polices d'assurances sur les Tramell, des poids lourds, cinq millions chaque. Il y a eu une enquête — pas seulement nous, la compagnie d'assurances a elle aussi fait grouiller l'endroit de privés : ils ne voulaient pas payer dix millions cash. Mais personne n'a rien trouvé. Que dalle. Nib. La compagnie d'assurances s'est pincé le nez et a payé. Ta prime et la mienne ont augmenté de quelques cents. C'était un accident. C'est officiel.

— Et officieusement ?

Andrews haussa les épaules.

— Qu'est-ce que tu crois ?

— Donc elle a touché dix millions de dollars. Et alors ? Elle en avait déjà une centaine de millions qui lui revenaient. Elle ne l'a pas fait pour l'assurance.

Elle l'a fait pour l'excitation, ajouta-t-il mentalement.

— Mon vieux, écoute-moi : en ce qui concerne tout le monde, elle ne l'a pas fait du tout. Souviens-toi de ça.

Nick hocha la tête.

— J'essaierai.

— Curran !

— Je partais, Phil ! hurla Nick.

— Passez ici avant de filer, Nick.

— Bien sûr, répondit-il aimablement.

Il se rendit jusqu'au bureau de Walker et ferma la porte.

— Qu'est-ce que vous avez derrière la tête, Phil ?

— Le coup du Nick-Curran-brave-garçon ne marche pas avec moi, Nick. Je vous connais trop bien.

— Mon âme est pure et mes intentions sont bonnes, Phil.

— Epargnez-moi ça. Et maintenant écoutez : l'Inspection générale voudra vous parler à propos de Nilsen. Ce sont eux qui mènent l'enquête. Pas nous. Rien qu'eux.

— Les bœuf-carottes prennent soin de leurs frères, c'est ça ? Corrigez-moi si je me trompe, Phil, mais un homicide est un homicide, un point c'est tout. Alors comment se fait-il que ce soit l'IG qui mène une enquête sur un meurtre ?

— Voilà le Nick Curran que j'ai toujours connu.

Walker secoua la tête.

— Je ne vais pas discuter avec vous, Nick. Ce n'est pas mon problème, et moins encore le vôtre. Suivez simplement ces instructions : soyez à la disposition de l'IG lorsqu'ils auront besoin de vous. Ne vous attirez pas d'ennuis et restez en contact avec Beth Garner — ça aidera pour l'évaluation.

Nick croisa les bras sur sa poitrine.

— C'est elle qui l'a tué, dit-il froidement.

— Bon Dieu ! Vous êtes vraiment cinglé ! Voilà maintenant que vous pensez que Beth tue des gens.

— Ne soyez pas con, Phil, je ne parle pas de Beth, je parle de Catherine Tramell. Elle a tué Nilsen.

— Vraiment ?

— Ouais, vraiment. Elle l'a tué. Il fait partie de son jeu.

— Son jeu ? Premièrement vous l'accusez d'avoir acheté votre dossier. Et maintenant vous dites qu'elle a tué Nilsen. Faites-moi une faveur, faites-vous une faveur, oubliez-la, voulez-vous ? Allez quelque part. Asseyez-vous au soleil. Chassez-la de votre esprit.

— Vous n'y croyez pas, hein ? Elle *savait* que personne n'y croirait.

Il sourit et hocha la tête, comme pour lui-même.

— Elle est vraiment admirable, vous savez. Elle a prévu tout ça, juste comme un de ses foutus bouquins. Elle a préparé toute l'intrigue. Elle *savait* que je le dirais. Et elle *savait* que personne ne le croirait.

Walker le regarda avec dans les yeux une espèce de pitié.

— Elle est en train de vous chambouler la tête, Nick. Ne vous approchez pas d'elle.

— Hé, rétorqua Nick d'un ton léger, pas de problème. Je suis en vacances, non ? Je n'ai pas le moindre souci au monde.

CHAPITRE DOUZE

Nick se tint à l'écart des problèmes pendant quinze minutes. Ce fut le temps qu'il mit après avoir quitté le quartier général de la police pour rejoindre son appartement en filant à travers la circulation à cette heure de pointe. Les problèmes étaient assis sur les marches de son immeuble, sous la forme de Catherine Tramell ; sa Lotus noire était garée au bord du trottoir.

— J'ai entendu parler de ce qui est arrivé, dit-elle avec un sourire à la limite de la moquerie. A quoi un tireur est-il bon sans son arme ?

Nick n'était pas d'humeur à être taquiné — il était rarement d'humeur à ça, à vrai dire.

— Comment en avez-vous entendu parler, exactement ?

— J'ai des avocats. Ils ont des amis. J'ai des amis. L'argent permet d'acheter beaucoup d'avocats et d'amis.

— Je n'en sais rien. Je n'ai pas d'argent du tout. Je n'ai pas d'avocat. Et Gus est mon seul véritable ami.

Elle haussa les épaules.

— Je ne parlais pas de *véritables* amis. Pourquoi Gus ne m'aime-t-il pas ?

Nick Curran éclata de rire.

— Gus. Gus ne vous aime pas parce qu'il pense que vous ne m'apporterez que des ennuis. Il a probablement raison. *Moi* je vous aime bien. J'aime les choses qui ne sont pas bonnes pour moi.

— *Vraiment* ?

— Ouais. Vous voulez entrer prendre un verre ?

Elle jeta un coup d'œil à son bracelet-montre, une délicate bande de platine.

— A neuf heures et demie ? Un peu tôt, vous ne trouvez pas ?

— Je suis debout depuis si longtemps qu'il est pratiquement l'heure de dîner en ce qui concerne mon horloge corporelle. Vous venez ou non ?

Elle lui lança son sourire le plus éblouissant.

— Je croyais que vous ne me le demanderiez jamais.

— Je pense que vous ne connaissez pas vos personnages aussi bien que vous le supposez.

Ils entrèrent dans l'immeuble, grimpant l'escalier sombre et miteux jusqu'à son appartement du troisième. Elle le précédait, lui parlant par-dessus son épaule.

— J'apprends, disait-elle. J'apprends tout de vous. Très bientôt je vous connaîtrai mieux que vos amis. Mieux que vous ne vous connaissez vous-même.

— Je vous l'ai dit, Gus est mon seul ami et je parie qu'il me connaît mieux qu'il ne le désirerait... Ne soyez pas si sûre de vos pouvoirs d'analyse, cependant. Vous ne me comprendrez jamais totalement.

— Vous ne croyez pas ? Pourquoi ça ?

Ils s'arrêtèrent devant la porte fatiguée de son appartement et il fouilla dans ses poches à la recherche de ses clefs.

— Vous ne me comprendrez jamais, dit-il, parce que je suis très...

En un synchronisme parfait, simultanément, Catherine et Nick prononcèrent le même mot : « imprévisible ».

Nick essaya de ne pas froncer les sourcils, et Catherine s'efforça de ne pas rire : elle avait prévu sa réaction. Il ouvrit la porte et la fit entrer.

Elle demeura silencieuse pendant une minute ou deux, se tenant debout au centre du grand salon semblable à une soupente, examinant les murs nus, les quelques meubles, l'absence des touches personnelles qui font d'un endroit une habitation. La pièce était aussi impersonnelle qu'une chambre d'hôtel.

— Vous devriez mettre un peu de chaleur dans cet endroit, dit-elle finalement.

— Je ne suis pas quelqu'un de très chaleureux, dit-il sèchement.

— Je sais. La pièce reflète votre personnalité d'une façon trop graphique. J'aurais pensé que vous souhaiteriez le dissimuler.

— Je n'essaie de tromper personne, lui dit-il depuis la petite cuisine, une alcôve juste à côté de la porte d'entrée.

Il se tint sous la porte voûtée de la cuisine, une bouteille de Jack Daniel's pleine à la main, le sceau noir encore intact.

— Du Jack Daniel's, ça vous va ? Il faudra. Je n'ai rien d'autre.

— Très bien.

— Glace ?

Du compartiment congélateur de son réfrigérateur, il sortit un bloc de glace qu'il fit tomber dans l'évier. D'un tiroir il sortit un pic à glace, identique à celui utilisé pour éliminer Johnny Boz.

Elle le fixa, les sourcils levés, comme des points d'interrogation silencieux.

— Je vous attendais.

Il leva le pic à glace, le montrant comme s'il s'était agi d'un trophée.

— K-Mart. Un dollar soixante-cinq.

C'était un défi et elle l'accepta. Elle prit le pic et le soupesa comme une connaisseuse.

— Laissez-moi m'occuper de la glace, dit-elle froidement. Vous aimez me regarder faire, n'est-ce pas ?

Sans attendre de réponse, elle se tourna et commença à œuvrer sur le bloc de glace dans l'évier. Il s'appuya contre le mur de la cuisine exiguë et alluma une cigarette, exhalant la fumée avec béatitude.

— Je vous avais dit que vous recommenceriez à fumer.

Il pouvait la sentir sourire. Des éclats de glace volaient en tous sens.

— Puis-je en avoir une ?

Il lui donna celle qu'il fumait, puis en alluma une autre pour lui-même.

— Merci, murmura-t-elle.

Puis elle se retourna vers la glace, dans laquelle la pointe de la lame se remit à tailler. Il pêcha deux verres dans un placard et les plaça sur le comptoir, puis entreprit de faire sauter le sceau sur la bouteille de bourbon.

— Combien avez-vous payé Nilsen pour avoir mon dossier ?

Catherine ne le regarda pas.

— N'est-ce pas le policier que vous avez tué la nuit dernière, Tireur ?

Elle laissa tomber une poignée d'éclats de glace dans chaque verre, lui prit la bouteille et versa le liquide acajou sur les glaçons.

— Et si je vous demandais de ne plus m'appeler Tireur ?

— Alors comment devrais-je vous appeler ?

Elle réfléchit un moment, puis répondit à sa propre question.

— Et si je vous appelais Nicky ? Qu'est-ce que vous en diriez ?

Nick Curran changea de position avec gêne.

— Ma femme m'appelait comme ça.

Elle eut un sourire entendu.

— Je sais, mais j'aime ça... Nicky.

Elle prononça soigneusement son nom, comme pour l'essayer, pour y habituer sa langue. Puis elle lui tendit un verre.

— A votre santé. *Mes* amis m'appellent Catherine.
Elle fit tinter son verre contre le sien.

— Comment vos avocats vous appellent-ils ?

— Mademoiselle Tramell. Les plus jeunes m'appellent madame Tramell.

— Comment vous appelait Manny Vasquez ?

— Salope, la plupart du temps — mais il le disait affectueusement.

Pendant une seconde, un reflet de douleur sembla courir dans ses yeux bleu clair, mais il passa rapidement.

— Vous n'avez pas de coke, par hasard ? J'adore ça avec le Jack Daniel's.

— Il y a un Pepsi dans le frigo, répondit Nick.

Catherine Tramell sourit et secoua doucement la tête.

— Ce n'est pas vraiment la même chose, non ?

— Est-ce que vous voulez dire que ce n'est pas ce que vous désiriez ?

Il se rapprocha, jusqu'à ce que leurs corps se touchent presque. Il pouvait sentir son parfum, et le souffle de sa respiration sur sa joue.

— Où allons-nous ? demanda-t-il. Qu'attendez-vous de moi ?

Leurs visages étaient très proches. Elle leva la tête vers lui, les lèvres entrouvertes.

— Dites « qu'attendez-vous de moi, Catherine ».

— *Bordel*, qu'attendez-vous de moi, Catherine ?

Il se pencha pour l'embrasser, mais elle se déroba comme un boxeur esquivant un coup. Elle rompit le charme.

— Attendez ! Je vous ai apporté quelque chose ! dit-elle gaiement.

Elle fouilla dans son sac et en sortit un livre de poche qu'elle lui tendit. C'était *La Première Fois*, de Catherine Woolf.

Il étudia un moment la couverture.

— Merci. De quoi cela parle-t-il ?

— C'est à propos d'un garçon qui tue ses parents.

— Vraiment ? Comment ça ?

— Ils ont un avion. L'avion s'écrase. Il s'arrange pour que ça ait l'apparence d'un accident. Il trompe tout le monde, particulièrement la police, mais *lui* sait. C'est son petit secret.

Il la fixa intensément.

— Pourquoi le fait-il ?

— Pour voir s'il peut s'en tirer, répondit-elle simplement. C'est un jeu.

— Quand l'avez-vous écrit ?

— Vous voulez dire, est-ce que je l'ai écrit *avant* la mort de mes parents ?

— C'est exactement ce que je veux dire.

Elle secoua la tête, agitant ses cheveux dorés.

— Non. Je l'ai écrit des années plus tard.

Elle reposa son verre. Elle l'avait à peine touché. Curran avait bu la moitié du sien.

— Vous partez ? Si tôt ?

— Des choses à faire, Nicky.

Elle lui jeta un rapide sourire.
— Vous n'allez pas cesser de me suivre partout, n'est-ce pas, juste parce que vous êtes en congé ?
— Absolument pas.
— Tant mieux. Vous me manqueriez.
Elle fit un pas vers la porte.
— Bien sûr, je ne voudrais pas vous causer des ennuis.
— Je prendrai le risque, dit-il.
— J'aimerais savoir pourquoi vous courez ce risque ?
Il lui ouvrit la porte et elle s'engagea sur les marches. Il se pencha par-dessus la rampe et l'observa.
— Pourquoi je cours le risque ? Pour voir si je peux m'en tirer. Comment va votre nouveau livre ?
— Il s'écrit pratiquement tout seul, répondit-elle en s'enfonçant dans la cage de l'escalier.
Puis elle s'arrêta et se retourna vers lui.
— Je vais quitter ma maison vers minuit, au cas où vous voudriez me suivre.
— Pourquoi ne pas me simplifier vraiment la vie et me dire où vous irez ?
— Je vais descendre au club de Johnny.
— Je vous retrouverai là-bas, dit-il en rentrant dans son appartement et en fermant la porte derrière lui.
Au bas de l'escalier elle rencontra Gus qui pénétrait dans l'immeuble. Lorsqu'il la vit il la regarda à deux fois d'une façon si théâtrale qu'elle ne pouvait qu'être authentique.
— Hello, Gus ! dit-elle gaiement en passant près de lui comme un souffle.
Il ne put que la suivre des yeux, bouche bée, tandis qu'elle disparaissait.

Le temps qu'il monte en ahanant et soufflant les trois étages, Catherine Tramell avait sauté dans sa Lotus et disparu, mais Nick Curran se tenait toujours à la fenêtre. Il avait observé son départ.
— Pardonne-moi de poser la question, fiston, et je ne souhaite pas broder là-dessus, c'est assez évident, mais je viens juste de croiser cette pépée porteuse d'ennuis

dans l'escalier et il me vient à l'esprit de te demander comment il se fait que ta cervelle soit aussi profondément enfoncée dans ton cul ?

Nick fixait toujours la rue.

— Elle veut jouer, dit-il comme pour lui-même. Bien. Je peux jouer.

— Nick, tous ceux avec qui elle joue finissent morts.

Nick hocha la tête pour lui-même et pensa à sa femme, Cindy, mourant dans leur lit, s'étant empoisonnée parce qu'elle ne pouvait accepter l'autodestruction de l'homme qu'elle aimait.

— Est-ce que tu m'as entendu ? Je disais...

— J'ai entendu ce que tu as dit, Gus.

— Comprends-tu ce que je veux dire ? As-tu réalisé ? Nick, s'il te plaît.

Le ton de Gus s'était fait suppliant.

— Ne joue pas avec elle. Tu ne peux pas gagner contre une poulette comme ça. Tous ceux avec qui elle baise meurent, compris ?

Nick Curran arracha ses yeux de la rue vide et regarda son équipier.

— Compris ? Ouais, j'ai compris. Je sais exactement à quoi ça ressemble.

CHAPITRE TREIZE

La nouvelle sobriété, le style des années quatre-vingt-dix, était apparue à San Francisco, mais n'avait pas encore affecté toute la population. Il y avait encore des boîtes de nuit dans la ville qui prospéraient, où les clients s'abrutissaient légalement d'alcool et de musique et planaient d'une façon illicite grâce à une variété de drogues fournies dans les rues et consommées dans les toilettes des clubs.

South Of Market, SOMA dans le langage des clubs, était la zone de prédilection des clubs les plus en vogue. South Of Market Street avait jadis été un quartier délabré d'entrepôts en ruine et de bâtiments industriels rouillés, mais tel n'était plus le cas. Il n'avait pas fallu longtemps pour que quelqu'un réalise que SOMA recouvrait la plus grande surface de terrains bon marché dans le bas de San Francisco. Les changements de main avaient été rapides, quoique pas toujours très élégants, et le coin était à présent le repaire de douzaines de clubs à la mode, de restaurants, de bars et de boutiques.

Les clubs les plus connus et les plus en vue de tout San Francisco étaient le DV8, le Warfield (situé dans un ancien théâtre) et l'Oasis, qui s'enorgueillissait de posséder sa propre piscine. Les homosexuels chics allaient au Trocadero Transfer.

Homos et hétéros se retrouvaient à l'Autel, chez Johnny. Comme l'ancien et célèbre Limelight de New York, l'Autel était installé dans une église désaffectée. Un disk-jockey lançait les disques depuis une cabine où les dévots avaient autrefois communié, et il faisait hurler de la musique dans la nef caverneuse où un millier de danseurs s'entassaient sur le plancher.

La musique à déchirer les tympans avait une présence presque physique ; elle sembla frapper Nick dès qu'il franchit la porte d'entrée de l'immeuble pour pénétrer dans le club à proprement parler. La clameur paraissait le battre comme un vent furieux et il eut l'impression de devoir avancer l'épaule en avant pour s'y frayer un passage. L'air était lourd des stridulations de la musique et des odeurs de fumée et de sueur mêlées aux parfums. Les danseurs sur la piste tressautaient vaguement en rythme avec le son, certains avaient la mine sinistre, comme s'ils désespéraient de parvenir à marteler leur abandon durant les heures nocturnes. Ils dansaient, farouchement déterminés à se donner du bon temps.

Les clients au bar buvaient pour s'enivrer. Il n'y avait pas de conversation — la musique était trop forte pour ça — et si vous vouliez parler à quelqu'un vous deviez lui tirer l'oreille jusqu'à votre bouche et hurler.

Nick parvint à obtenir une coupe en plastique de Jack Daniel's sur de la glace, s'arrêtant juste avant de devenir aphone à force de s'égosiller, puis il fit le tour de la piste de danse en examinant intensément la masse des corps, à la recherche de Catherine Tramell. Observer cette foule était étourdissant ; elle paraissait un corps géant aux têtes d'hydre. Enfin il repéra au milieu de la foule un visage familier, un beau visage qu'il mit un moment à situer. C'était Roxy.

Elle dansait avec une autre femme, ses bras entourant les hanches de sa partenaire. Roxy se pencha en avant et dit quelque chose à la fille qui éclata de rire et opina. Bras dessus, bras dessous, elles quittèrent la piste de danse, se frayant un chemin entre les corps enlacés. Nick suivit.

Elles se dirigeaient vers les toilettes des hommes, bien qu'à l'Autel l'expression « toilettes des hommes » n'ait pas été aussi exclusive qu'on aurait pu le croire. Cet endroit, à l'Autel, était logé dans ce qui avait autrefois été la sacristie et n'était en aucune façon réservé aux hommes...

C'était une salle sombre et emplie d'ombres, à l'air lourd des relents de fumée — tabac et autres substances plus ou moins contrôlées —, et Nick sentit l'air rance et humide lui coller aux poumons. Il reconnut toutes les odeurs : crack, hasch, marijuana, et de vagues soupçons de coke chauffée quelque part dans une des cabines. Il y avait des hommes et des femmes agglutinés dans les ombres spectrales, penchés sur toute sorte de drogues. Des flacons de crack abandonnés et des ampoules brisées étaient éparpillés sous ses pieds, craquant comme de la gelée blanche tandis qu'il avançait dans la pièce.

Roxy gratta du doigt contre la porte d'une des cabines qui s'ouvrit sur Catherine Tramell. Sa chevelure était ramenée en arrière et son maquillage aussi sévère que celui de Roxy. Dans la pénombre elle paraissait moins que ses trente ans. Si Nick ne l'avait pas connue, il l'aurait prise pour une adolescente, comme la compagne de Roxy. Une fille enragée de dix-neuf ans, une dévoyée de dix-neuf ans qui, déjà, commençait à éprouver de grands frissons.

Catherine n'était pas seule dans la cabine. Elle avait les bras autour de la taille d'un grand Noir. Il était torse nu, — un grand haltérophile aux muscles gonflés, au torse sculpté dans de la chair dure.

Il tenait une éprouvette de cocaïne sous le nez de Catherine. Elle inhala avec convoitise. Il y avait une légère croûte de coke sur le bord du récipient, et elle tendit la langue pour la laper.

Elle aperçut Nick et sourit, murmurant simultanément quelque chose à son massif compagnon. Il suivit la direction de son regard, fixant Nick et lui souriant, les yeux emplis d'amusement et de mépris. Puis il ferma la porte.

Il pouvait attendre. Nick Curran se promena dans le club, prenant son temps, repérant les lieux. Il était à la fois dégoûté et fasciné par l'activité. Dans les coins obscurs du club, des silhouettes indistinctes s'embrassaient et tâtonnaient, des hommes avec des hommes, des femmes avec des femmes, un mélange de sexes dans les sombres alcôves de l'Autel.

La musique continuait de pulser, martyrisant l'air

rance. Le piétinement sur la piste de danse ne diminuait jamais. Une expression à mi-chemin entre le tourment et la béatitude luisait sur les visages en sueur. La nuit, la ville, le monde entier avaient été comprimés dans cet espace électrisant. Il n'y avait pas eu de passé ; il ne semblait pas qu'il y aurait un lendemain. Il n'y avait que l'ici et le maintenant. Le présent, le futur se mesuraient en secondes entre deux cavaliers, en minutes avant le prochain verre ou la prochaine prise de cocaïne. La musique passait sans interruption d'un air à un autre, le rythme et la cadence ne diminuant pas un seul instant.

Puis il la revit. Nick Curran l'observa tandis qu'elle s'agitait avec la musique. Elle dansait avec Roxy et le culturiste noir. Elle se tenait entre eux, constituant leur centre d'attention à tous deux. Leur désir semblait la combler autant que la musique, fournissant l'énergie nécessaire à sa danse frénétique.

Elle se tourna et le vit, et continua de danser, le regardant qui la regardait avec des yeux dévorants, affamés, fiévreux. Elle le narguait, s'insérant étroitement et chaudement entre ses deux partenaires qui ondulaient avec elle. Ils la prenaient en sandwich entre leurs deux corps magnifiques, frottant leurs hanches contre les siennes.

Elle acceptait leur vénération comme un dû, mais ses yeux parcouraient le corps de Nick, le lisant comme elle l'avait fait la première fois qu'elle avait posé un œil sur lui. Elle oscillait entre ses partenaires, se frottait contre eux, mais c'était avec lui qu'elle jouait de son corps.

Il sentit une vague de désir le submerger. Soudain, toute l'atmosphère du club se glissa dans ses veines comme un virus, et lui aussi fut envahi par l'hédonisme pur et païen de l'endroit et de sa clientèle. Il fut sur la piste de danse, non plus comme observateur mais comme participant. Presque en transe, il s'approcha d'elle et se plaça face à elle, la dévorant des yeux. La musique cognait et pulsait.

Catherine cessa de danser et lui fit face, carrément, le défiant à sa façon. Ce défi-là, il l'accepta. Il tendit la main vers elle, la prenant dans ses bras. Elle fondit, l'embrassant chaudement et profondément.

Il la tint par la nuque, l'embrassant en retour, sa langue se glissant dans sa bouche. Leurs corps se pressaient durement l'un contre l'autre, comme s'ils étaient scellés l'un à l'autre. Il avait les mains sur la chair ferme de ses fesses, la plaquant contre lui, leurs hanches tendues. Ses mains furent sous sa jupe, chaudes sur la peau nue.

Elle lui embrassa l'oreille et murmura :

— Partons.

Ils laissèrent Roxy sur la piste de danse, ses yeux de glace bleue les fixant avec une fureur froide.

CHAPITRE QUATORZE

Ils se trouvaient dans la chambre de la maison de ville de Catherine, deux corps nus étendus sur le grand lit de cuivre, la chaleur de leurs actes reflétée dans une douzaine de glaces, scintillant sur des miroirs accrochés aux murs, ou au plafond.

Il était sur elle, l'écrasant de son poids, son sexe profondément enfoncé, ses hanches donnant des coups violents. La langue de Nick rampa de ses épaules à son cou, avant de redescendre dans le creux entre ses seins. Puis ses lèvres se refermèrent sur un mamelon, l'aspirant dans sa bouche.

Elle se tortillait sous lui, perdue dans la brutale sauvagerie de l'amour. Catherine arquait les reins et enfonçait son sein dans sa bouche, pleurant, un cri haut perché semblable à celui d'un oiseau lorsque les dents saisirent le mamelon pour le mordre durement.

Les jambes de Catherine étaient largement ouvertes, ses mollets refermés sur ses reins comme une boucle de ceinture. Ses mains étaient crochetées comme des serres, les ongles rouges creusant et ratissant la peau de son dos, taillant des traînées sanglantes. Plus fort il agitait les hanches, plus vicieuses devenaient ses griffures, mais la douleur et le plaisir étaient mêlés et bourdonnaient comme une drogue dans son cerveau en ébullition. Le sang gouttait dans son dos, en ruisselets chauds et salés, et éclatait sur les draps blancs.

Elle se dégagea de sous lui et roula sur le ventre, s'offrant à lui. Il tendit les mains et la souleva par les hanches. Il s'agenouilla derrière elle et lui embrassa le dos, sa langue courant le long des ressorts d'acier de sa colonne vertébrale. Puis il fut en elle à nouveau et elle se cabra lorsqu'il plongea, la transperçant.

Catherine le chevauchait maintenant, penchée tout près de son visage, la langue dans sa bouche. Elle lui leva les bras au-dessus de la tête, pressant ses seins sur son visage en bougeant. De sous l'un des oreillers elle tira une écharpe de soie blanche, la balançant devant ses yeux, le narguant, le défiant d'oser se soumettre à un jeu qui pouvait s'achever dans la mort ou dans l'extase.

Les yeux de la jeune femme questionnaient, ceux de Nick répondirent. Elle hocha la tête et commença à lui lier les mains aux montants de cuivre, lâchement mais fermement. Elle se lécha les lèvres, savourant son impuissance. Un moment, il ressentit un mélange capiteux de peur et d'euphorie. Elle glissa à nouveau ses hanches le long de son corps, semblant l'aspirer en elle, le malaxant avec force. Elle arqua la tête en arrière, les seins fermes et tendus. Il monta vers elle, projetant en avant ses hanches, haut et profond. Soudain ils jouirent ensemble. Elle respira lourdement et tomba sur sa poitrine, ses cheveux se déroulant sur son visage, tel un dais doré qui les enveloppa tous deux. Il pouvait sentir son corps frissonner de plaisir, trembler du délire qui avait pulsé en elle.

Il s'éveilla dans la profondeur calme et sombre de la nuit. Il n'y avait aucun son et simplement la lumière de la rue reflétée et multipliée à l'infini par les miroirs. Il pivota sur le côté du lit et s'assit un moment, la tête baissée comme un animal épuisé. Il passa une main dans son dos et sentit la chair tendre et les croûtes de sang séché. Catherine était repliée sur elle-même, endormie. Il s'étira et se leva, cherchant son chemin dans la chambre dévastée.

La lumière violente de la salle de bains heurta Nick comme un coup de marteau. Il paraissait pâle et éreinté, la chair autour de ses yeux molle et jaunâtre.

— Bon Dieu... dit-il à son propre reflet.

L'eau du robinet était froide et rafraîchissante. Il plongea ses cheveux trempés de sueur sous le liquide glacé et sentit immédiatement son cerveau s'éclaircir un peu.

— Si vous ne la laissez pas tranquille, je vous tuerai, proféra doucement une voix derrière lui.

Il y avait là une tranquille certitude qui suggérait que Roxy pensait exactement ce qu'elle disait.

Nick observa son reflet dans le miroir.

— Dites-moi une chose, Roxy. D'homme à homme.

Il se retourna et lui fit face. Elle ne prit même pas la peine de baisser les yeux sur son sexe.

— Dites-moi, insista-t-il. J'estime que c'est la baiseuse du siècle, qu'est-ce que vous en pensez ?

— Vous me rendez malade, répondit-elle en s'éloignant.

Nick eut un petit rire.

— Moi, je vous rends malade ?

Il secoua la tête, comme s'il était incapable de croire tout à fait à ce qu'il venait d'entendre.

— Vous aimez regarder, n'est-ce pas ? Depuis combien de temps étiez-vous là, Rock ?

Roxy le fixa avec aversion.

— Elle aime que je la voie.

— On ne fait que suivre les ordres, hein Roxy ?

— Allez vous faire foutre, dit-elle en partant.

Catherine oscillait dans cette grisaille incertaine qui sépare le sommeil de la veille. Elle se pressa contre lui quand il se glissa à nouveau dans le lit, frottant son corps contre le sien, comme un chat.

— Nicky, murmura-t-elle, comme une enfant se rassurant avec le nom de son père.

Lorsqu'il s'éveilla, elle était partie. La pièce avait été remise en ordre et la lumière du jour filtrait par les grandes baies vitrées. Les seules signes de passion de la nuit dernière étaient ces pâles taches de sang sur les draps.

Sur la table de chevet se trouvait une note : « La plage... C.«

Il prit une longue douche revigorante, s'habilla et regagna sa Mustang qu'il conduisit tranquillement jusqu'à Stinson Beach. Il se sentait détendu et puissant, d'une façon que seule une nuit d'amour passionnée pouvait avoir produite. Et pourtant il était mal à l'aise, incertain de la réception qu'on lui ferait.

Catherine était dehors : comme si elle l'attendait. Comme d'habitude, elle observait la mer.

— Jour, dit-il.

Elle le salua d'un hochement de tête comme s'il n'était rien d'autre qu'une vague relation, quelqu'un dont elle avait fait la connaissance en passant. Il jeta un coup d'œil en direction de la maison et vit l'un des rideaux remuer, dissimulant Roxy.

— Je pense qu'elle ne prend pas ça très bien.

— Qui ne prend pas très bien quoi ?

— Roxy. Nous.

— Elle m'a vu baiser avec des tas de types.

Elle s'interrompit un instant puis précisa :

— Et il n'y a pas de « nous ».

— Qu'en sais-tu ? Elle, elle semble le savoir. Peut-être a-t-elle vu quelque chose qu'elle n'avait pas vu auparavant

Catherine se tourna pour lui faire face, les yeux jetant des éclairs.

— Roxy a *tout* vu auparavant.

Nick gloussa.

— Moi aussi, je pensais avoir tout vu.

Le sourire de la jeune femme s'adoucit, devenant un peu plus amical.

— Tu as trouvé ça si spécial ?

Nick sourit.

— J'ai déjà dit que c'était la baise du siècle.

— Tu te vantes déjà devant tes copains ?

— Non, devant les tiens. Roxy.

— Comment l'a-t-elle pris ?

— Pas très bien. Qu'est-ce que *tu* en penses ? Je parle de la nuit dernière.

— J'ai trouvé ça très bon pour un début.

— C'est tout ? Et Roxy ? Est-elle meilleure ?

Elle sourit de ce sourire entendu qui lui était si particulier.

— Tu as l'air particulièrement intéressé par Roxy. Est-ce que cela signifie que tu aimerais qu'elle se joigne à nous une autre fois ?

— Est-ce qu'elle participait, du temps de Johnny ?

— Non. Johnny se sentait intimidé.

Nick haussa les épaules.

— Et regarde ce qui lui est arrivé.

Catherine s'éloigna de lui, empruntant un sentier qui courait le long de la falaise rocheuse jusqu'à la plage en contrebas. Il s'élança sur ses talons.

— Dis-moi, Nicky, jeta-t-elle par-dessus son épaule. As-tu eu peur la nuit dernière ?

Il s'arrêta.

— C'était le but du jeu, n'est-ce pas ? C'est ce qui le rendait si bon, c'est ça ?

— Tu ne devrais pas jouer à ce jeu, dit Catherine avec sérieux. Elle repartit sur le sentier, se dirigeant toujours vers la plage. Nick la suivit.

— Pourquoi pas ? J'ai aimé le jeu.

— Tu es dedans jusqu'au cou, Nicky. Ça ne se terminera pas de la façon que tu espères.

— Je suis peut-être dedans jusqu'au cou. Je m'en fiche. C'est comme ça que j'attraperai ma tueuse.

Elle secoua la tête.

— Tu n'apprendras rien de moi. Je ne confesse pas tous mes secrets juste parce que j'ai un orgasme...

— ...ou deux.

— Ou deux, admit-elle en souriant. Mais tu n'apprendras jamais rien que je ne veuille pas que tu saches.

Il la saisit par les épaules.

— Si. Et alors je te clouerai au mur.

— Non. Tu finiras seulement par tomber amoureux de moi, Nick, c'est tout.

— Je suis déjà amoureux de toi.

Elle essaya de se détourner mais il la retint.

— Mais je te clouerai au mur quand même. Tu peux inscrire ça dans ton livre.

CHAPITRE QUINZE

Le Chariot Bâché est un bar « Country and Western » à l'angle de la Quatorzième et de Valencia, un endroit avec un bon juke-box et de la bière pression pas chère — deux choses qui en faisaient un point de chute naturel pour Gus Moran lorsqu'il était d'humeur cow-boy.

Nick Curran trouva son partenaire au bar du Chariot Bâché, replié sur une pinte d'Anchor Steam glacée. Comme beaucoup d'autre clients du bar, Gus était vêtu selon le rôle, d'un blue-jean, d'une chemise de cow-boy, et coiffé d'un stetson. Il fixait sa bière d'un air morose.

Nick se glissa sur le tabouret voisin de celui de Gus et ôta le chapeau de la tête de son équipier pour le poser sur la sienne.

— Je pensais bien te trouver ici, dit-il.

— Tu es sacrément guilleret ce soir.

Il pivota sur son tabouret.

— Bordel, où étais-tu ? Je suis allé chez toi. Rien.

Gus parlait fort, trop fort, et ses mots étaient pâteux. Il était à un verre ou deux de l'ivresse totale.

— Calme-toi, partenaire. Je n'étais pas chez moi, c'est tout.

— J'y suis allé également la nuit dernière.

— Je n'étais pas là-bas la nuit dernière non plus.

Gus prit une longue gorgée de sa bière et le fixa durement, l'observant comme s'il essayait de dénouer un problème particulièrement ardu, et que son cerveau embrumé par la boisson ne coopérait pas. Finalement, cependant, il y parvint. Son visage s'assombrit.

— Tu... tu l'as *baisée* ! Sacré fils de pute ! Tu n'étais pas chez toi parce que tu étais en train de tringler cette foutue femelle ! Je n'arrive pas à le croire ! Es-tu complètement fou ?

— Du calme, Gus. Ne t'emporte pas pour ça. J'ai la situation bien en main.

— Conneries ! Bon Dieu, tu es un foutu fils de pute et je vais sortir d'ici, car tu es un porte-malheur — et ça s'attrape. Et je n'ai pas besoin de plus de malchance. J'ai tout ce que je peux supporter, merci beaucoup.

Il se leva de son tabouret et partit en titubant vers la porte.

— Ne t'inquiète pas pour ça. La prochaine fois je mettrai une capote.

On ne peut jamais savoir ce qui va ennuyer un ivrogne. Pour quelque raison mystérieuse, la référence aux capotes mit Gus en colère et il n'avait pas peur que Nick, et tout le bar avec lui, le sache. D'une lente voix de stentor il dit :

— J'en ai rien à branler des capotes, Curran !

— Hé, Gus ! appela le barman en agitant une addition. Tu crois pas que tu oublies quelque chose ?

Il était heureux de le voir partir, mais n'avait pas l'intention de se laisser coller une ardoise.

Nick s'en chargea. Il se tourna vers le bar.

— Combien ?

— Dix-sept, répondit le barman.

— Verres, ou dollars ?

— Dollars.

Nick plaqua un billet de vingt sur le zinc.

— Gardez la monnaie.

Il rattrapa Gus Moran sur le trottoir devant le Chariot Bâché. Il fixait deux femmes d'un certain âge, toutes deux vêtues à la mode cow-boy. Elles se dirigeaient vers le bar, mais Gus se tenait entre elles et la porte.

— Des capotes, annonça Gus.

— Il faut vraiment se protéger, dit Nick. C'est une chose à laquelle tu devrais réfléchir.

— Et pourquoi diable ? Est-ce que tu crois qu'à mon âge on a encore des occasions ?

— Bien sûr.

Gus eut un geste peu assuré de la main en direction des deux cow-girls trop âgées.

— Je veux dire, bien sûr que je peux baiser... avec des foutues cheveux *bleus* comme ces deux-là. Mais je n'aime pas ça, tu sais, Nicky. Je n'aime vraiment pas ça.

— C'est un problème, concéda Nick en écartant Gus des deux femmes choquées, pour l'entraîner dans la rue.

— Bon Dieu, où tu m'emmènes ?

— Il est temps de dessoûler un peu. Tu vas prendre du café, et manger — tu te sentiras comme un sou neuf dans pas longtemps.

— Maintenant qu'on en parle, je me sens effectivement un peu le ventre creux, admit Gus d'un ton sentencieux.

Chez Mac était un véritable restaurant ouvert toute la nuit. Il se trouvait sur Mason Street, près du quartier des cinémas de San Francisco et du minable Tenderloin. Il attirait un curieux mélange de cinéphiles, de flics, de chauffeurs de taxis et de touristes, et ce soir-là tous les tabourets au bar étaient occupés. Gus fixa une grosse femme au comptoir. C'était une touriste, cela se voyait au tee-shirt sur lequel on pouvait lire l'inscription « Marine de Pêche ». Pendant un instant il parut sur le point de lui dire quelque chose, quelque chose, à n'en pas douter, d'extrêmement désobligeant. Nick le guida jusqu'à un box et le fit asseoir.

La nourriture chez Mac était bonne et le café meilleur encore, et Nick veilla à ce que son équipier en ait plus que sa dose. Il lui commanda également une énorme assiettée d'œufs, et une autre de chili avec du fromage et un monticule de crème.

— Mange, ordonna-t-il.

Gus mangea, s'empiffrant de graisse et aspirant bruyamment son café. Pendant quelques minutes, le seul bruit à la table fut celui qu'il émit en mangeant.

— Ça va mieux ?

— Je me sens *bien* !

Le ton un peu trop élevé de sa voix suggérait que Gus pouvait être encore légèrement ivre.

— Chut, dit Nick.
— Ne me dis pas chut ! rétorqua Gus avec colère. Ne me dis jamais chut, fiston.
Il enfourna une énorme fourchette de chili et d'œufs dans sa bouche.
— Comment as-tu pu la baiser ?
Des gens le fixaient à présent, lui jetant des regards de colère. Gus ne sembla pas le remarquer, ou, dans le cas contraire, ne pas s'en préoccuper.
— Tu veux mourir, fils ? C'est ça ? Tu as toujours la tête à l'envers à cause de ces foutus touristes ? Tu as toujours des remords pour une chose qui t'est arrivée il y a des années de ça ? Tu te sens si mal à cause de ça que tu cherches ton chemin en direction d'un pic à glace. C'est ce que tu as prévu, hein ?
— Gus, ce n'est pas...
Gus leva le ton.
— Nous avons beaucoup trop de foutus touristes ici de toute façon. Et il y en a encore plus là d'où ils viennent.
— Gus, allons...
— Je suis en colère après toi, fiston, vraiment en colère. Et tu veux savoir pourquoi ? Parce que tu n'as pas suffisamment de bon sens pour avoir peur de cette femme. Tu n'as pas peur d'elle, n'est-ce pas ?
— Non, dit doucement Nick. Je n'ai pas peur d'elle.
— Pourquoi diable ? s'étonna Gus.
Nick secoua lentement la tête.
— Je ne sais pas. Mais je n'ai pas peur d'elle.
— C'est sa chatte qui te parle, fiston. Ce n'est qu'une question de chatte.
La grosse touriste au comptoir posa son hamburger et jeta un œil noir à Gus. Il lui sourit et lui fit un clin d'œil.
— Non, ce n'est pas ça, insista Nick.
— Si, c'est ça. Tu écoutes sa chatte. Parce que je sais que tu n'écoutes pas ton propre cerveau.
— Je sais ce que je fais.
— Non, tu ne sais plus rien.
Gus but un peu plus de café et redressa le chapeau de cow-boy sur sa tête.
— Ecoute, fiston. L'Inspection générale a enquêté

sur Martin T pour Tête-de-nœud Nilsen. L'un dans l'autre, c'est assez intéressant.

— Qu'est-ce qu'ils ont trouvé ?

— Ne me bouscule pas. Très intéressant, ainsi que je l'ai dit, et les balançoires font de leur mieux pour s'assurer que personne en dehors de leur nid n'en entende parler. Mais le vieux Gus, qui est l'ami de tout le monde et l'ennemi de personne, en a entendu parler.

— Entendu parler de quoi ?

— Que l'IG a trouvé un coffre bancaire avec cinquante mille dollars déposés dedans. Il l'a loué il y a trois mois. Il y est allé une fois. Il a posé l'argent et n'est jamais revenu. Moi, j'y serais allé tous les deux jours, tu vois ce que je veux dire ?

Il fixa la grosse femme avec obscénité, la couvant littéralement des yeux.

— Mais ça n'a pas de sens. Elle ne me connaissait même pas il y a trois mois.

— Peut-être que ce n'est pas elle qui l'a payé. Si tu travailles à l'Inspection générale, les chances pour que tu te constitues un matelas sont plutôt importantes. Après tout, qui va enquêter sur toi ? Tu es dans l'IG, tu n'as pas à t'inquiéter de l'IG, est-ce que j'ai raison, oui ou non ?

— Elle l'a payé.

Gus Moran haussa les épaules.

— Bien, bordel, qu'est-ce que j'en sais ? Je ne suis qu'un vieux cow-boy de la ville qui essaye de ne pas tomber de sa selle.

— Allons, fichons le camp d'ici.

— D'accord, partenaire.

Lorsqu'ils parvinrent finalement à la vieille Seville 1980 appartenant à Gus, ce dernier éprouva quelque difficulté à ouvrir la portière. Il était évident qu'il n'était pas en état de conduire.

— Tu veux que je te conduise ? Tu sais ce qu'on dit à propos des amis qui ne doivent pas laisser leurs amis...

— Je ne suis pas ivre.

— Je le sais. Je pensais seulement que tu pourrais aimer que je te ramène chez toi de façon à ce que tu n'aies pas à t'en inquiéter.

— Dans ta voiture de merde ? Bon Dieu non. Je ne

veux pas d'une pension pour maux de reins. Je veux une retraite entière et une véritable montre Seiko plaquée or.

Gus n'avait pas tort. Le siège avant de la vieille Cadillac rongée de rouille était aussi large et confortable qu'un divan de salon. La Mustang était étroite.

— Allez, je vais conduire ce truc.

Gus eut l'air profondément offensé.

— Ce « truc », fiston, se trouve être une Cadillac. Tu crois que je te laisserais conduire ma Cadillac ? Je ne laisse aucun branleur dans ton genre conduire ma Cadillac.

— Gus...

— Va te faire foutre, fiston, je m'en vais.

Il se glissa dans la voiture et démarra le gros moteur. Il le fit gronder deux ou trois fois comme un dragster, puis passa une vitesse, filant hors du parking, laissant derrière lui du caoutchouc sur le sol et une traînée de fumée dans l'air. Trois rues plus loin, Nick Curran pouvait toujours entendre le moteur et le couinement des freins de la vieille Cadillac. Il secoua la tête et espéra que Gus arriverait chez lui en un seul morceau.

Il marcha lentement jusqu'à sa propre voiture, garée dans l'allée derrière le Chariot Bâché. Il réentendait les mots de Gus dans sa tête, songeait à Nilsen et à Catherine Tramell. Comment l'avait-elle contacté ? Comment avait-elle su qu'il serait en mesure de mettre la main sur le dossier de Nick ? Bien sûr, il n'y avait aucune preuve qu'elle ait vraiment obtenu son dossier par Nilsen. La seule réponse qu'il trouvât facilement était un mobile pour l'acte de Nilsen : il avait vendu le dossier parce qu'il haïssait Nick Curran. L'argent n'était qu'un bonus, un petit extra en plus.

Nick était tellement plongé dans ses pensées qu'il ne remarqua pas la voiture qui le suivait comme son ombre. Il ne la remarqua pas — jusqu'à ce que le conducteur lance le moteur, et tente de l'écraser.

Il n'y a pas de son ressemblant vraiment au bruit du moteur d'une Lotus Testarossa à plein régime. La voiture noire fusa le long de l'étroite allée comme un boulet de canon, fonçant sur lui. Nick eut un bref aperçu de la voiture, lorsqu'elle le heurta et le projeta au-dessus d'elle. La conductrice enfonça la pédale du frein et la Lotus s'immobilisa en hurlant. Le moteur gronda lorsque la boîte de vitesses repassa sur la marche arrière et que le véhicule revint précipitamment sur Nick.

Il bondit hors de son chemin, filant à quatre pattes vers la Mustang tandis que la Lotus tentait une nouvelle fois de l'écraser.

La conductrice — Catherine ? — décida que deux tentatives d'homicide motorisé suffisaient pour un soir. La voiture jaillit de la ruelle en marche arrière et ses pneus hurlèrent quand elle pivota sur place.

Nick se retrouva quelques secondes plus tard au volant de sa Mustang et la propulsa dans l'allée en une poursuite forcenée. Il eut une brève vision de la puissante voiture noire prenant à gauche vers Valencia.

La Lotus se dirigeait vers North Beach, louvoyant à travers les rues à flanc de colline, la grosse voiture avalant les côtes sans effort. Elle jaillit dans la bande brillamment éclairée des bars topless et des théâtres pornos sur Broadway, puis fonça à l'assaut de la colline dans Vallejo, après quoi il y eut Kearny, puis Green. Nick était juste derrière elle, le moteur de la Mustang hurlant sa puissance.

La Lotus escaladait Telegraph Hill, le point le plus élevé du bas de San Francisco, une colline si raide que certaines des rues ne sont rien d'autre que d'interminables volées de marches de béton. Nick rétrograda et enfonça la pédale de l'accélérateur jusqu'au plancher, lançant l'automobile hurlante à l'assaut des marches. Il visait un rétrécissement de la voie au sommet de la colline, une ligne droite où il pourrait lui couper la route.

La Mustang sautait et rebondissait sur les marches, son pot d'échappement arrachant du goudron, chaque rivet et chaque soudure de la carrosserie protestant vigoureusement, mais le puissant moteur entraîna le véhicule jusqu'au haut des marches. Il le fit tourner à angle droit sur Kearny.

Les phares de la Lotus étaient dirigés droit sur lui à présent, comme dans le jeu de la poule mouillée que pratiquaient les étudiants désœuvrés, mais joué ici par deux voitures extrêmement puissantes. Nick enfonça la pédale des gaz, filant tête la première vers la Lotus. Au dernier moment possible, les nerfs de la conductrice cédèrent et elle tenta de l'éviter sur la rue étroite. Mais il n'y avait pas suffisamment de place.

Le moteur hurlant, la voiture fila en biais et plongea dans la fosse destinée à accueillir les fondations du nouveau centre Moscone. Elle rebondit à deux reprises et atterrit sur le toit. Le moteur était mort. Et, le temps que Nick arrive à la voiture, Roxy l'était également. Elle était affalée, à demi sortie par la portière ouverte, la nuque brisée. Non loin de là, des sirènes de police hurlaient.

Nick Curran joua très bien le rôle de John Q Citoyen, donnant son témoignage à un policier qui le nota laborieusement sur un constat d'accident, puis le lui tendit pour signature. Il le signa, utilisant le capot de la Lotus comme table.

Mais il ne s'agissait pas d'un accident ordinaire — peu d'accidents de voiture attirent l'attention des inspecteurs Sullivan et Morgan, de l'Inspection générale de la police de San Francisco, ou celle du lieutenant Walker, chef du département des Homicides.

Walker arracha le constat des mains de Nick pour le lui agiter sous le nez.

— Ce morceau de merde est votre témoignage ? Vous allez vraiment mettre votre nom là-dessus ?

— Pourquoi pas ?

Nick glissa une cigarette entre ses lèvres et l'alluma, secouant l'allumette pour l'éteindre.

— Pourquoi ne le ferais-je pas ? C'était un accident.

Walker gifla le témoignage du dos de la main, comme pour punir les mots qui s'y trouvaient inscrits.

— Laissez-moi clarifier une chose, Curran. Vous vous promenez sans raison précise dans North Beach et cette voiture refuse de s'écarter de votre chemin — et vous me dites qu'il s'agit d'un accident ?

— Eh bien, Phil, je ne pense pas qu'elle voulait vraiment faire un tonneau. Qu'en pensez-vous ?

— Laissez-le-moi une minute, demanda Sullivan.

Walker envoya promener le type de l'Inspection générale d'un revers de main.

— Ne vous foutez pas de moi, Nick, dit-il doucement. Je n'ai pas besoin d'une raison pour vous mettre le cul dans une fronde.

Sullivan se glissa tout de même dans la conversation.

— La morte s'appelle Roxanne Hardy. Dernière adresse... un trou merdique quelconque dans Cloverdale. Pas d'antécédents, pas de condamnation. La voiture est enregistrée au nom de Catherine Tramell.

Il referma son calepin avec un claquement sonore.

— Le monde est petit, hein, Curran ?

Walker toisa Nick : on eût dit qu'il avait envie de le tuer sur place.

— Vous la connaissiez, n'est-ce pas ?

Nick haussa les épaules.

— Gus et moi lui avons parlé chez Tramell. Nous avons juste noté son nom.

Walker était à la limite de l'explosion.

— Vous avez noté son nom à l'époque et soudain, grosse surprise ! Elle fait une série de tonneaux avec sa voiture dans un gouffre juste en face de vous et meurt. C'est ce que vous êtes en train de me raconter ? Vous pensez que je vais avaler ça ?

Nick lança son mégot de cigarette dans la terre.

— C'est tout ce que je sais.

— Alors allez vous faire foutre. *Allez vous faire foutre*, Nick. Ils peuvent vous pendre jusqu'à ce que vous soyez complètement momifié, je m'en lave les mains.

Il commença à s'éloigner puis s'arrêta.

— Souvenez-vous, Nick, c'est vous qui l'aurez voulu. Vous n'aurez personne d'autre à blâmer que vous.

— Je garderai ça à l'esprit, lieutenant.

— Je vous avais dit de vous tenir à l'écart de Tramell. C'était un ordre.

— Ouais, mais vous ne m'aviez pas dit de me tenir à l'écart de sa voiture.

— Trou du cul, murmura Walker.

— Vous perdez les pédales, Curran, dit Sullivan. Je vous veux dans le bureau du docteur Garner à neuf heures demain matin.

— Ah ouais ? Et à qui allez-vous vendre mon dossier cette fois ? Au *National Enquirer* ?

Deux infirmiers de la morgue dégageaient le corps de Roxy de derrière le volant. Ses yeux morts et qui ne voyaient plus étaient ouverts et fixés sur Nick.

CHAPITRE SEIZE

Nick était allé se coucher de bonne heure, sobre et seul, le soir précédent. Il avait donc bonne mine et semblait bien se contrôler lorsqu'il arriva au quartier général de la police le lendemain matin. Beth l'attendait dans la salle des interrogatoires, mais elle n'était pas seule. Assis à une table près d'elle se trouvaient deux hommes ; l'un était petit et chauve et ressemblait à un comptable. L'autre, élégant, avait les cheveux argentés, des dents régulières, et une Rolex coûteuse au poignet. Nick n'avait jamais rencontré un agent littéraire travaillant à Hollywood, mais ce type ressemblait à l'image qu'il s'en faisait. Les deux hommes, cependant, étaient des psychiatres, des gros calibres que l'on avait fait venir pour lui faire subir une séance de réduction de tête au troisième degré. Un coup d'œil lui suffit et il sentit sa colère monter, son self-control déraper.

— Voici le docteur Myron, Nick, dit Beth Garner en désignant celui qui ressemblait à un comptable, et voici le docteur McElwaine.

— Jolis noms, dit Nick aigrement.

Les trois médecins rirent avec gêne.

— On leur a demandé de m'assister dans cette affaire.

— « On leur a demandé... » Tu veux dire que *tu* ne les as pas demandés. Ils t'ont été imposés par une ou des personnes inconnues du département de la police de San Francisco, c'est correct ?

Aucun médecin ne prit de note, mais on pouvait presque les entendre commencer leurs observations :

agressif, hostile, ergotant, faisant preuve d'antagonisme, n'acceptant pas l'autorité.

— Ce sont tous deux d'éminents médecins, Nick. J'accorde beaucoup de valeur à leurs opinions et à leur expérience. Je suis heureuse d'avoir leur assistance.

— Pourquoi ne vous asseyez-vous pas ? proposa le docteur Myron.

— Bonne idée, rétorqua méchamment Nick. Je suis heureux que vous y ayez pensé, doc, cela ne me serait pas venu à l'esprit.

Il y eut un nouvel éclat de rire gêné. Nick s'assit et pendant un long moment les trois médecins l'observèrent. Il les observa également. Finalement, McElwaine rompit le silence.

— Nick, dit-il doucement, nous comprenons d'après ce que nous a dit le docteur Garner que vous avez eu certaines difficultés à vous contrôler ces derniers temps. Est-ce le cas ?

— Seulement envers une personne, répondit Nick.

— Pensez-vous que le lieutenant Nilsen méritait de mourir ? demanda le docteur Myron.

— Méritait de mourir ?

Nick haussa les épaules.

— Je ne porte pas ce genre de jugement.

— Mais vous ne ressentez pas de remords à l'idée qu'il soit mort ?

— Des remords ? Je ne ressentirais de remords, doc, que si j'avais une responsabilité quelconque dans sa mort. Et ce n'est pas le cas. Est-ce que vous me demandez si je ressens des regrets ?

Nick haussa à nouveau les épaules.

— Je ne connaissais pas suffisamment ce type. Disons qu'il ne me manquera pas.

— Mais vous prenez un certain plaisir à sa mort. Est-ce que c'est une constatation juste ?

— Ça, docteur, c'est une constatation morbide. Personne — aucune personne saine d'esprit, du moins — ne prend jamais de plaisir dans une mort. Pas moi, en tout cas.

Nick croisa les bras sur sa poitrine avec l'air d'avoir tout dit. McElwaine jeta un regard inquiet à son collègue et décida de tenter une approche différente. Sa voix était courtoise et avunculaire, et il sourit chaudement, montrant ses belles dents blanches.

— Dites-moi, Nick, lorsque vous vous remémorez votre enfance, est-ce que vos souvenirs sont agréables ? Ou bien êtes-vous perturbé par certains d'entre eux ?

Nick fixa son inquisiteur pendant près d'une demi-minute, trente secondes de colère et d'incrédulité. Il parvint à garder la rage hors de sa voix, mais pas l'incrédulité.

— D'accord, dit-il calmement, d'un ton net. Numéro un : je ne me souviens pas de combien de fois je me suis branlé, mais ce fut souvent.

Beth Garner ferma les yeux et secoua la tête. Nick Curran ne contrôlerait pas ses nerfs — il ne jouerait *jamais* le jeu.

Le ton de la voix de Nick montait.

— Numéro deux : je n'en ai pas voulu à mon père — même quand j'ai été suffisamment âgé pour comprendre ce que lui et maman faisaient dans la chambre.

— Nick, murmura Beth, *s'il te plaît...*

— Laisse-moi finir. Numéro trois : je ne vérifie pas ce qu'il y a dans les toilettes avant de tirer la chasse. Numéro quatre : je ne pisse pas au lit et il y a longtemps que ça ne m'est pas arrivé.

— Nick ! implora Beth.

— Et numéro cinq : vous pouvez aller vous faire foutre car je sors d'ici.

Nick se leva et quitta rapidement la pièce.

— Eh bien ! entendit-il le docteur Myron dire, alors qu'il sortait.

Beth était juste derrière lui, courant dans le couloir pour le rattraper. Elle était en colère et blessée en même temps. Elle l'agrippa par la manche de sa veste, et tenta de le ralentir.

— Qu'est-ce qui te prend ?

Beth elle-même était très près de perdre le contrôle de ses nerfs. Elle lutta pour dominer ses émotions.

— J'essaie de t'aider. Pourquoi ne me laisses-tu pas faire ?

Nick arracha sa manche à son étreinte. Il continua sa route le long du couloir.

— Je ne veux pas de ton aide. Je n'ai besoin de l'aide de personne. Est-ce que tu me comprends ?

— Si, tu as besoin d'aide, insista Beth. Il se passe quelque chose. Tu couches avec elle, n'est-ce pas ?

Il s'arrêta et se retourna.

— Quel est cet intérêt que tu éprouves envers elle, de toute façon, Beth ? Jalouse ?

— J'éprouve de l'intérêt envers *toi*, pas envers elle. Elle séduit les gens. Elle les manipule. Elle ferait n'importe quoi...

— Je croyais que tu la connaissais à peine.

— Je connais ce genre de femme. Je suis une psychologue, tu t'en souviens ? J'ai étudié des gens comme elle. J'ai analysé des gens comme elle.

— Oh, une psychologue ! Ça signifie que tu manipules les gens également, n'est-ce pas, Beth ? Tu es une psychologue *pratiquante*. Ça signifie que tu es meilleure qu'elle à ce jeu. C'est tout.

Il se retourna et repartit dans le couloir, mais cette fois Beth Garner ne le suivit pas.

— Je suis désolée pour toi, Nick.

Elle haussa les épaules et repartit en sens inverse. Elle ne pouvait rien faire de plus pour lui.

Il arriva chez Catherine Tramell à Stinson un peu avant une heure de l'après-midi, l'épais brouillard sur la nationale Un l'ayant ralenti. La brume était épaisse sur les falaises également, enveloppant la maison et la coupant totalement de la mer.

La maison paraissait déserte, mais la Lotus blanche était garée devant. Même si ce n'avait pas été le cas, il savait que c'était à Stinson qu'il la trouverait. Stinson était son refuge, son abri, son bunker, sa tour d'ivoire.

Elle ne répondit pas lorsqu'il frappa à la porte. Timidement, peu sûr de lui, il ouvrit la porte.

— Catherine ?

Il n'y eut pas de réponse.

La maison était obscure et inquiétante, tous les rideaux tirés contre le reflet blanchâtre du brouillard. L'intérieur paraissait baigner dans le deuil et possédé par un silence si profond qu'il lui semblait pouvoir le toucher du doigt.

Il se tint debout au milieu du salon plongé dans la pénombre et écouta. Emergeant à peine du silence il y avait un son, un petit reflet de bruit, un craquement mesuré toutes les quelques secondes, régulier comme une horloge. Il emprunta le couloir, suivant le bruit ténu comme un chien de chasse sur une piste, s'immobilisant toutes les deux ou trois pas pour écouter.

Catherine était assise dans un rocking-chair dans le coin du salon, se balançant doucement d'avant en arrière sur les patins de bois. Elle le fixa avec de grands yeux cerclés de rouge. Sa chevelure était un fouillis de nœuds, elle avait les joues tirées et creusées par le manque de sommeil. Elle n'avait pas dormi, c'était évident, et son visage était maculé de traînées laissées par les larmes.

Elle détourna le regard et parla d'un ton haché. La confiance, l'assurance tranquille, le self-control, tout s'était évanoui, remplacé par le doute et le chagrin.

— Après que tu m'as quittée l'autre jour, je suis revenue à la maison. Elle m'observait si bizarrement. Elle est partie juste après toi.

Catherine Tramell glissa ses ongles dans ses cheveux emmêlés. Elle secoua lentement la tête.

— Je n'aurais pas dû la laisser... Je n'aurais pas dû la laisser nous espionner cette nuit-là. Mais elle le voulait. Elle disait qu'elle voulait toujours me voir. Tout le temps.

Elle se tourna à nouveau vers lui, avec ce même regard, celui qu'il avait vu la première fois qu'il avait posé les yeux sur elle.

— Elle a essayé de te tuer, n'est-ce pas, Nick.

Il ne répondit pas immédiatement.

— Est-ce que tu aimais qu'elle t'observe ?

— Est-ce que tu penses que je lui ai dit de te tuer ?

Il avait déjà décidé qu'il connaissait déjà la réponse à cette question. Il secoua la tête.

— Non, je ne pense pas que tu aies eu quoi que ce soit à voir là-dedans.

Elle se retourna vers la mer.

— Tous ceux que j'aime... meurent.

Il s'agenouilla derrière elle et posa les mains sur ses épaules, les massant sous ses doigts puissants. Elle frissonna à son contact. Ses mains glissèrent vers le bas, écartant sa chemise, lui caressant doucement les seins.

— Je ne suis pas mort, dit-il.

Elle frotta son visage contre son bras, comme un chat demandant l'attention de son maître.

— S'il te plaît, demanda-t-elle. S'il te plaît, fais-moi l'amour.

La seule lumière dans la chambre provenait de la cheminée. Un déluge torrentiel et glacé, venant du Pacifique, martelait les bardeaux du toit de la maison et cinglait les fenêtres. Ils avaient fait l'amour avec intensité, avec autant de force que l'autre nuit, mais sans la douleur et le jeu. Ç'avait été l'amour apaisant et rassurant de deux amants, et non pas la tentative de domination frénétique et luxurieuse de deux rivaux en érotisme.

Catherine reposait, nichée dans ses bras, satisfaite, heureuse mais triste également, envahie par la mélancolie qui suit parfois l'acte d'amour, la solitude et la tristesse qui viennent avec le retour au monde réel. Elle resta longtemps silencieuse, puis murmura :

— A quoi penses-tu ?

— Je pensais... Je pensais que j'avais tort.

— Tort ? A quel propos ?

— A propos de toi. A propos de Roxy.

— Roxy ?

Il l'embrassa doucement sur le front.

— Je pense qu'elle pourrait avoir tué Boz.

Catherine sursauta légèrement, comme s'il l'avait pincée.

— Tué Johnny ? Pourquoi ? Pour m'impliquer ? Elle n'aurait pas fait une chose pareille. Elle m'aimait. Elle n'aurait pas voulu me faire du mal. Me compromettre, comme ça.

— Elle était jalouse de moi. Peut-être était-elle jalouse de Johnny également.

— Non, elle ne l'était pas, affirma Catherine. Cela ne lui ressemblait pas. Elle n'a jamais été jalouse... pas avant ton arrivée, en tout cas. Cela l'excitait.

Nick haussa les épaules.
— Dommage qu'on ne puisse pas lui poser la question.
Catherine se retourna, la tête sur son épaule, la chevelure répandue en travers de la poitrine de Nick, comme une flaque dorée.
— Je n'ai pas de chance avec les femmes.
Nick sourit.
— Ça nous fait un point en commun... jusqu'à maintenant, du moins.
Elle ignora son ironie.
— Il y avait une fille... quand j'étais au collège... J'ai couché avec elle une fois. Elle a...
Catherine se mit une main sur la bouche, comme pour se retenir d'en dire plus.
— Que lui est-il arrivé ? demanda Nick. Qu'a-t-elle fait ? Est-ce qu'elle t'a fait du mal ?
Catherine Tramell secoua la tête.
— Non, pas physiquement. Elle est devenue obsédée. Elle ne cessait de me prendre en photo. Elle s'est teint les cheveux. Elle copiait mes vêtements. Elle me suivait. Elle s'appelait Lisa... Lisa Oberman.
Elle frissonna à l'évocation de ce souvenir.
— C'était horrible.
Nick lui caressa les cheveux, comme pour calmer un enfant arraché au sommeil par un cauchemar.
— Je croyais que tu ne te confessais pas, dit-il tendrement.
Elle le fixa droit dans les yeux.
— Je ne l'ai jamais fait. C'est la première fois.

La lueur du jour s'insinuait entre les rideaux lorsque Nick Curran se réveilla. Il était seul dans le lit et le nom de « Lisa Oberman » bourdonnait dans son esprit, avec l'obstination d'une mouche contre une moustiquaire. Il roula sur lui-même, s'attendant presque à découvrir une note sur la table de chevet l'informant que Catherine était rentrée en ville, mais il n'y avait rien. Il resta étendu, immobile, et écouta. Il n'y avait pas le moindre bruit dans la maison, seulement le martèlement incessant des vagues sur la plage.

Nick se leva et enfila son pantalon et sa chemise avant de se mettre à sa recherche. Elle n'était pas dans la maison, ni sur la terrasse à veiller sur les vagues. La Lotus était dans l'allée. Elle ne pouvait être allée très loin.

Il suivit le sentier rocailleux jusqu'à la plage qu'il trouva déserte. Il jeta un coup d'œil dans la petite cabane qui se dressait à quelques mètres de l'eau. Aucun signe d'elle. Mais il savait qu'elle finirait par se montrer. Il poussa un soupir et regarda la mer, tournant le visage vers le soleil, détendu et heureux.

Puis quelqu'un le heurta durement par-derrière.

Nick réagit vite, faisant glisser son assaillant par-dessus son épaule et l'envoyant s'écraser durement sur le sable. Il se laissa tomber, son genou pointé sur la gorge de son agresseur.

— Nick ! hurla Catherine. Arrête ! Elle était étendue dans le sable, riant et terrifiée tout à la fois. Nick poussa un profond soupir, soulagé d'avoir été victime d'une de ses blagues et non pas d'une attaque réelle.

— Bon sang, dit-elle en riant, tu es sur les nerfs !

Il détestait s'avouer qu'elle avait raison.

— Toujours en train de jouer, c'est ça ?

Elle secoua la tête sur le sable.

— Plus de jeux. Les jeux sont finis. Lâche-moi. Laisse-moi me relever.

Nick la dégagea de son poids et l'aida à se redresser, brossant le sable de son jean. Catherine secoua sa chevelure, comme un chien se séchant. Ils reprirent le chemin de la maison. Puis elle s'arrêta et se laissa tomber dans l'une des chaises de rotin devant la cabane.

— Plus de jeux, dit-elle, c'est promis.

— Une promesse ? Alors parle-moi de Nilsen.

Elle avait les yeux brillants d'hilarité.

— Je te le raconterais bien, mais je sais que tu ne me croiras pas.

— Essaie toujours.

Catherine haussa les épaules.

— J'ai vu son nom dans les articles du *Chronicle* qui te concernaient. Je l'ai contacté et nous avons conclu un marché. Cinquante mille dollars — en liquide, il a été très précis sur ce point — et en échange j'aurais ton dossier. Tes états de service, ton dossier psychiatrique. Tout. Le travail.

Elle parlait d'un ton très détaché. Le visage de Nick s'était durci.

— Quand ?

— Environ trois mois avant que je te rencontre.

— Pourquoi ?

— J'avais entendu parler de toi dans les journaux. J'avais lu les articles sur la mort des deux touristes. J'étais intriguée. J'ai décidé d'écrire un livre sur un policier. Un policier qui te ressemblait beaucoup.

— Je dirais qu'il me ressemble trait pour trait.

— Je voulais tout savoir de mon personnage, dit-elle précipitamment. C'est tout.

— Tu as payé cinquante mille dollars pour ton *personnage* ? demanda Nick avec incrédulité.

Elle ne s'excusait pas. La vulnérabilité de la nuit précédente avait été remplacée par son assurance habituelle.

— J'aurais payé plus. Je voulais tout savoir de toi. Puis tu es venu ici après que Johnny a été tué. Ça m'a donné une chance de mieux connaître mon personnage.

— Et en ce qui concerne l'autre nuit ? demanda Nick. Et la nuit *dernière* ? C'était de la recherche ? Tout ce que tu faisais, c'était connaître un peu mieux ton personnage ?

Elle étudia longuement son visage, puis détourna les yeux.

— Peut-être aussi que je perds mon intérêt pour mon livre, mon personnage. Peut-être que j'apprends à aimer le modèle réel.

— Est-ce que c'est vrai ?

— Tu ne me crois pas ?

— Je ne sais pas.

— Je te convaincrai.

Elle l'enlaça et l'embrassa lentement. La chaleur du baiser luisait sur les lèvres de Nick. Il sentit pulser en lui une brusque poussée d'excitation et la tint fortement serrée contre lui tandis qu'il l'embrassait profondément en retour.

Catherine tenta de se dégager lorsque le téléphone sans fil dans la cabane se mit à sonner, mais il la retint.

— Ne réponds pas, murmura-t-il.

Elle se dégagea néanmoins et décrocha, n'écoutant qu'un instant avant de lui tendre le récepteur.

— C'est pour toi, dit-elle.

— Qui est-ce ?

— C'est Gus. Gus-qui-ne-m'aime-pas. Ce Gus-là.

Il prit le téléphone et elle s'enroula autour de lui, lui embrassant doucement le visage pendant qu'il tentait de parler à son équipier.

— Catherine dit que tu ne l'aimes pas, Gus. Je n'arrive pas à le croire. Qu'est-ce que tu en penses ?

— Elle a raison, aboya Gus. Tu n'as pas encore un pic à glace planté quelque part ?

Nick se passa la main sur le corps, comme à la recherche de profondes blessures.

— Non, pas encore.

— Qu'est-ce qu'il a dit ? s'enquit Catherine.

— Il m'a demandé si j'avais un pic à glace planté quelque part.

— Très drôle.

— Elle ne trouve pas ça amusant, Gus.

— Comme si j'en avais quoi que ce soit à foutre, de ce qu'elle pense. Tu sais ce qu'on dit, à propos de la façon dont on juge les gens à leurs amis, Nicky ?

— Je n'y crois pas, répondit Nick.

— Ah ouais ? Et pourquoi pas ?

Nick eut un grand sourire.

— *Tu es* mon ami, Gus.

— Tu ferais bien de commencer à le croire, mon ami, car je vais te démontrer la folie de ton comportement.

— Ouais ? Et comment comptes-tu t'y prendre ?

— Parce que, Nick-le-Casse-Couilles Curran, tu viens juste de gagner un voyage tous frais payés jusqu'à la scène d'un crime fascinant.

Nick sentit une secousse semblable à une décharge électrique le parcourir.

— Bon Dieu... Qui est-ce, Gus ?

— Je t'ai fait peur, hein, fiston ? Du calme, ça n'est personne qu'on connaisse. C'est arrivé il y a très longtemps. Mais je pense que c'est approprié. J'aime ça, Nicky, « approprié ».

— Où se trouve cette scène d'un crime fascinant et approprié, papy ?

— Dans l'exotique Cloverdale, fiston. Alors monte dans la merde infantile qui te sert de voiture et file sur la belle 101 jusqu'à Cloverdale. Je te retrouverai là-bas, au quartier général de la police, dans deux heures.

Gus gloussa et raccrocha brutalement le téléphone.

CHAPITRE DIX-SEPT

Si Cloverdale n'était pas la plus morne, la plus tranquille des villes du nord de la Californie, elle faisait en tout cas certainement partie des dix premières. Elle se trouvait dans le comté de Sonoma, et c'était la dernière grande ville avant le comté de Mendocino. Contrairement aux autres villes du comté de Sonoma comme Geyserville et Healdsburg ou Sonoma elle-même, Cloverdale n'offrait à voir rien de beau, ni même rien qui fût renommé. Le comté de Sonoma était célèbre pour son vin. Un grand nombre des villes et villages avaient cet air vaguement européen qui va en général de pair avec les régions de vignobles — de bons restaurants, des boutiques dans le vent, ce genre de choses. Mais il n'y avait pas de viticulture à Cloverdale ; en fait la principale industrie était la production laitière, et la seule chose qui distinguât cette ville était le fait que l'autoroute 101, la peu agréable artère nord-sud, constituait également la rue principale de la cité. Elle était bordée d'une collection bigarrée d'arrêts pour les routiers et de fast-food, de supermarchés et de motels. L'un dans l'autre, Cloverdale paraissait un endroit improbable pour un meurtre. Particulièrement un meurtre aussi bizarre que celui que Gus y avait découvert.

Nick approchait les faubourgs de cette ville sans âme quand il réalisa qu'il avait entendu parler de Cloverdale récemment. C'était le soir de son duel mortel contre Roxy dans la Lotus. Un des types de l'Inspection générale avait identifié Roxy comme étant... Roxanne

Hardy. Et Nick pouvait pratiquement entendre la voix de Sullivan : « Roxanne Hardy. Dernière adresse — un trou merdique à Cloverdale. Pas d'antécédents, pas de condamnation. »

Ce voyage soudain et inattendu dans le haut du comté de Sonoma devait avoir un rapport avec elle.

Nick trouva Gus devant le poste de police sur l'artère principale de la ville ; il était appuyé contre le vieux pare-chocs de sa grosse, de sa vieille Cadillac, en train de manger un hamburger graisseux, acheté à l'un des stands en bordure de route dans la splendeur des bas quartiers de Cloverdale.

— Gentil de ta part d'être venu, fiston.

Gus Moran fit une boule du papier gras entourant le hamburger et le jeta au loin. Même s'il avait cru qu'il fallait garder l'Amérique propre, il réalisait qu'il était trop tard pour Cloverdale.

— Où est le rapport, Gus ? Je veux dire, où est le rapport, à part avec Roxy ?

Gus agita le doigt en direction de Nick.

— Quel garçon intelligent j'ai pour équipier. Tu as tout pigé, et tout seul, hein ?

— Tout, sauf ce que je suis venu foutre ici.

— Bien, laisse-moi deviner, fiston. Je parie que tu as passé la nuit dernière à sauter cette Catherine Tramell, c'est ça ? Bien, tandis que tu la sautais, j'étais de retour au quartier général à sauter cette merde d'ordinateur et j'ai découvert des trucs. Des trucs que je ne suis pas censé partager avec toi, mais que diable... J'ai imaginé que ça pourrait être une espèce de cadeau d'adieu...

— Adieu ? Où est-ce que je vais ?

— Cette décision sera prise, Nicky, juste après que cette poulette cinglée t'aura planté un joli pic à glace bien pointu dans la gorge. Le paradis, l'enfer... je n'en sais rien. Mais j'ai mon idée là-dessus.

— Tu es à mourir de rire, ce matin, Gus.

— Ouais, c'est une des choses que les dames apprécient chez moi, mon sens de l'humour.

Il s'engagea sur les marches menant au poste de police.

— Amène-toi, maintenant, Nick, ne faisons pas attendre le gentil policier.

Le gentil policier était une femme, ayant le grade de sergent et répondant au nom de Janet Cushman. Elle dirigeait un bureau de trois personnes consacré à la délinquance juvénile dans le périmètre de Cloverdale. L'affaire Roxanne Hardy avait eu lieu avant son arrivée, mais Cushman en savait tout.

— La plus grosse histoire qui se soit jamais produite chez les juvéniles, se remémora-t-elle. Dans cette ville en tout cas. Avant cela il n'y avait que les cas de délinquance traditionnels : des balades dans des voitures volées, des distributeurs de bonbons forcés, ce genre de choses. Juste comme dans les années cinquante.

Gus et Nick hochèrent la tête simultanément, avec compréhension. Durant leur adolescence ils avaient commis leur part de délinquance juvénile.

— C'est à cause de cette affaire que ma division a été créée. Quand Roxanne Hardy a buté son petit frère, tout le monde a été persuadé que Cloverdale était sur le point de voir déferler une vague de délinquance juvénile, et cette unité a été créée. Pas d'homicides. Pas encore, en tout cas. La plupart du temps nous nous occupons d'abus sexuels.

— Pourrions-nous voir le dossier, sergent ? demanda Nick.

Cushman l'avait déjà sorti. Elle le poussa en travers du bureau.

— Servez-vous. Mais vous ne pouvez rien copier sans l'autorisation du chef.

— Pas de problème, dit Nick.

La première chose qu'il extirpa du classeur recouvert de brun grisâtre fut une photo en noir et blanc de deux petits garçons étendus dans ce qui paraissait être une mare de boue à l'intérieur d'un jardin. La boue était une flaque de sang provenant des garçonnets et le photographe avait fait en sorte de prendre une vue claire des entailles béantes sur les petits cous.

Nick avait une grande expérience des cadavres, réels et en photos, sur des épreuves brillantes et impitoyables comme celle-ci. Mais il y avait quelque chose dans celle qu'il tenait en main qui le mettait légèrement mal à l'aise, la violence d'une enfant contre un autre enfant dans un jardin de banlieue. Les victimes avaient environ sept et neuf ans. Il y avait une photo de Roxy également, mais celle-ci n'avait pas été prise par un photographe de la police. Elle provenait d'un album de famille. Elle montrait une fillette avec des nattes et un appareil dentaire, souriant à l'objectif d'un vieux Kodak.

— Quel âge avait-elle quand elle a fait ça ? demanda-t-il à Cushman.

— Quatorze ans. Comme je vous l'ai dit, ce fut le crime le plus important qui se soit jamais produit ici. Elle aurait dû attendre quatre ans de plus pour les tuer si elle voulait être jugée comme une adulte.

Nick était intrigué.

— Mais Sullivan a dit qu'elle n'avait pas d'antécédents, et pas de condamnations.

— Elle n'a jamais été arrêtée. Elle n'a jamais été jugée. On l'a envoyée dans une maison spécialisée. Comme un petit Atascadero — juste pour les gosses.

Atascadero était l'institut Californien pour les déments criminels.

— Je n'ai pas trouvé ça dans les dossiers des antécédents, expliqua Gus. Il m'a fallu faire preuve d'imagination — j'ai fouillé dans les dossier des services de santé de Californie, cherchant une mention de Roxanne Hardy en tant que personne à la charge de l'Etat.

— Comment as-tu su qu'il fallait chercher par là, Gus ?

— Comment ? Parce que c'était une foutue cinglée, voilà comment j'ai su où chercher, fiston. Je me suis dit qu'elle apparaîtrait quelque part dans les fichiers des cinglés de Californie. Merde, je n'avais rien d'autre à faire la nuit dernière.

Il haussa les épaules.

— Y avait-il un motif ? demanda Nick en se sentant immédiatement idiot d'avoir posé la question.

C'était peut-être un crime d'adulte, mais il avait été commis par une gosse. Le motif n'avait rien à voir là-dedans.

Gus éclata de rire.

— Un motif ? Oui, elle l'a fait pour l'argent de l'assurance.

Pour Janet Cushman ce n'était pas un sujet de plaisanterie. Elle fronça les sourcils en direction de Gus.

— Elle a dit qu'elle ne le savait pas elle-même. Une minute elle jouait à se poursuivre avec ses frères, et l'instant suivant elle leur tranchait la gorge avec le rasoir à main de son père. Juste sous l'impulsion du moment.

Cushman haussa les épaules.

— Le rasoir se trouvait là.

Gus et Nick la regardèrent fixement. Ils avaient déjà entendu cette histoire auparavant, la même histoire à propos d'une gentille vieille dame nommée Hazel Dobkins qui se trouvait également être une amie de Catherine Tramell. Gus murmura des mots inintelligibles dans sa barbe. Cela ressemblait beaucoup à « foutus boulots de cinglées. »

— En voulez-vous des copies ? demanda Cushman. Je peux aller trouver le chef avant qu'il parte déjeuner.

— Nan, dit Nick. Je ne pense pas que nous en aurons besoin.

— Merci, sergent, dit Gus. Merci pour votre aide. Je crois qu'il est temps qu'on s'en aille.

Ils sortirent du poste de police et regagnèrent leurs voitures.

— Tu sais, dit Nick, je ne comprends plus rien à ce qui se passe, papy.

— C'est pas si difficile, fiston. Cette jeune fille de ferme, cette Roxanne Hardy, en a eu marre de voir que ses frères accaparaient toute l'attention, alors elle les a remis à leur place, et remis à leur place pour de bon — juste comme la bonne vieille Hazel Dobkins a remis en place toute sa famille, — à la différence près que la jeune Roxy, ici, ne s'est pas servie d'un cadeau de noces. Elle a utilisé le rasoir de papa.

— Mais pourquoi ?

Gus s'appuya contre le pare-chocs bosselé de sa Cadillac.

— Est-ce que ça compte ? Hazel, Roxy, cette charmante et riche Catherine Tramell...

Il secoua la tête et rit.

— Bon Dieu, quel trio. On se demande de quoi elles pouvaient bien parler lorsqu'elles se retrouvaient toutes les trois le soir autour d'un feu de camp.

Secouant tristement la tête, Gus grimpa derrière le volant de sa vieille suceuse d'essence.

— Dis-moi, fiston, as-tu déjà rencontré une de ses amies qui *n'ait pas* tué quelqu'un ?

Il claqua sa portière.

— Bien, je suppose qu'il faut de tout pour faire un monde. Et on doit admettre que c'est sans doute plus intéressant que la conversation habituelle des filles ordinaires.

Il tourna la clef de contact et le gros engin revint à la vie en pétaradant.

— A plus tard, Nicky.

La voiture commença à rouler.

— Je ne suis plus tellement sûr qu'elle soit coupable, dit Nick par-dessus le bruit du moteur.

Gus émit un reniflement ironique et toisa son jeune équipier avec des yeux emplis de pitié.

— De laquelle parles-tu à présent, fiston ? Nous savons que la vieille Hazel a tué ; nous savons que la jeune Roxy a tué. Et l'autre : eh bien, elle a cette chatte en fusion qui t'a grillé la cervelle. Comme je le disais, à plus tard, fiston.

Gus Moran embraya et se glissa dans la circulation. Nick le suivit, restant derrière la vieille Cadillac déglinguée tout le long de l'autoroute 101 depuis Sonoma et jusque dans Marin. Alors que leur mini-convoi approchait San Rafael, Gus Moran accéléra brusquement et prit la bretelle pour le pont du Golden Gate et San Francisco, se mettant dans la file des véhicules qui attendaient l'accès au pont. Sans vraiment y réfléchir, Nick Curran prenait la même direction lorsqu'un panneau de signalisation vert accrocha son regard : Richmond, Albany, Berkeley — serrez à droite.

Sur une impulsion, il prit la route à droite pour Berkeley, ville où se trouvait le plus prestigieux campus de l'université de Californie, le collège où Catherine Tramell avait étudié. Peut-être, ce n'était qu'un peut-être, y avait-il là-bas un événement que l'on pouvait déterrer dans son passé universitaire. Il était concevable également qu'il y ait certaines informations à propos du cursus étrange de Lisa Oberman, l'étudiante qui avait tant tourmenté Catherine durant sa seconde année.

Le trajet entre San Rafael et Berkeley offrait à l'occasion de superbes paysages : une vue magnifique de la baie de San Pablo sur la gauche en traversant le pont reliant Richmond à San Rafael, et toute l'étendue de la baie miroitante de San Francisco sur la droite. En regardant en arrière vers San Rafael depuis le pont on pouvait voir la façade, donnant sur le canal, des demeures de plusieurs millions de dollars où vivait la communauté la plus « branchée », aussi bien que, incongrue, la masse repoussante de la prison de San Quentin, tenue à l'écart des coûteuses maisons, des boutiques et des marinas par le *cordon sanitaire*[1] de l'autoroute 580. Nick avait depuis longtemps perdu le compte des hommes qu'il y avait envoyés, mais il se souvenait que l'aile des femmes avait été le domicile d'Hazel Dobkins pendant de nombreuses années.

Une fois dépassée la longue jetée de Chevron à l'extrémité du pont reposant sur Contra Costa, il n'y avait plus rien à voir. Il traversa les cités — dix dortoirs de Richmond et d'Albany, fonça le long de la piste de course, Golden Gate Fields, et prit la bretelle quittant l'artère principale pour tourner vers le campus de l'université de Californie, University Avenue.

Une partie de la ville de Berkeley semblait avoir été figée dans le temps — une période spécifique, la fin des années soixante. Des hippies erraient encore dans les rues, endimanchés dans des survêtements ou des tee-shirts délavés ; des mètres carrés de murs étaient recouverts d'affiches à demi décollées et de manifestes demandant la gratuité des soins médicaux, le pouvoir pour les sans-abris, dénonçant la politique étrangère américaine en Amérique centrale, en Afrique, au Moyen-Orient. Berkeley était déterminée à rester le dernier avant-poste du radicalisme aux Etats-Unis, même si les prises de position politiques étaient maintenant légèrement démodées. La majorité des hippies paraissaient avoir une cinquantaine d'années, et Nick pouvait imaginer ces vétérans grognons de la contre-culture se rassemblant pour fumer un joint en se remémorant les jours de gloire

1. En français dans le texte.

de People's Park, la marche sur Washington et les Jours de colère, échangeant des histoires de pacifistes comme les participants d'un congrès d'anciens combattants.

Il se gara à Bancroft et s'engagea sur le campus. Les choses étaient un peu différentes à ce niveau. Bien que Berkeley, l'université, ait toujours sa juste part d'étudiants radicaux, la plupart d'entre eux étaient plus intéressés par leurs études. Ayant gagné une place dans une grande université, ils se préoccupaient de se maintenir au niveau requis par leur travail scolaire, et d'obtenir une série de A sans faute, avant de partir pour une carrière au salaire élevé. Le jean et la tenue délavée étaient moins visibles ici, les étudiants arborant plutôt un aspect propre et net.

Il y avait le rassemblement habituel d'excentriques et de mendiants sur Sproul Plaza, mais eux aussi paraissaient trop vieux pour être encore des étudiants. Les véritables étudiants observaient avec curiosité les Juifs pour Jésus et le type chantant des chansons de Frank Sinatra à plein poumons, puis se hâtaient de gagner leurs cours d'économie.

Le campus était agréable et calme, les longues allées ombragées de grands eucalyptus, et Nick apprécia sa promenade, admirant les belles étudiantes d'un œil approbateur. Il demanda son chemin à l'une d'elles et reçut l'information qu'il souhaitait avec en prime un sourire éblouissant. S'il en avait eu le temps et l'envie, il aurait invité la fille à prendre une tasse de café, mais il avait une tâche à accomplir.

Dwinelle Hall, lui avait-on dit, était le principal bâtiment administratif, et le lieu où étaient conservés les dossiers de tous les étudiants. Dans un bureau au sous-sol il montra sa plaque de policier, et une jeune femme ayant à peine passé le cap de l'adolescence — Nick supposa qu'il s'agissait probablement d'une étudiante travaillant pour payer ses études — s'assit à un ordinateur qu'elle alluma.

— Je cherche des informations sur une ancienne étudiante, expliqua-t-il. Une certaine Lisa Oberman.

— Auriez-vous une année ? Les dossiers sont classés par année.

— Je suppose vers 82 ou 83.
— Vous supposez ? demanda la jeune femme.

Nick remarqua un gros livre de cours de biologie ouvert près de l'ordinateur. Elle n'était probablement pas heureuse qu'un flic vienne lui amputer son temps d'études. Ses doigts coururent sur le clavier de la machine.

— Il y a beaucoup d'Oberman, dit-elle. Andrea C, Andrew W,...

Ses yeux parcoururent la colonne de noms sur l'écran.

— Donald M, Mark W. Désolée, pas de Lisa Oberman. Vous êtes certain de l'année ?

— Catherine Tramell dit qu'elle a eu son diplôme en 83. Elle affirme que cette Lisa Oberman était ici en même temps qu'elle.

— Quel était l'autre nom ?

— Tramell, répéta Nick. Catherine Tramell.

Elle tapa le nom et hocha la tête lorsque les références de Catherine apparurent.

— Nous avons Tramell. Mais pas de Lisa Oberman.

Nick était perplexe. Il aurait pu jurer que Catherine ne lui avait pas menti ; sa peur et son inquiétude à l'évocation de l'obsessionnelle Lisa Oberman avaient été trop fortes, trop réelles, pour qu'elle les ait simulées. Pourquoi aurait-elle menti sur un tel sujet ? Comme tant d'autres choses à propos de Catherine Tramell, cela n'avait tout bonnement aucun sens.

— Il doit y avoir une Lisa Oberman, insista-t-il devant l'étudiante-employée de bureau. Ne pourrait-il y avoir une erreur ?

La jeune femme le toisa avec froideur.

— Seulement si c'est vous qui la commettez, dit-elle.

— Merci, dit-il. Merci beaucoup.

— Je vous en prie, répondit-elle en se retournant vers son livre de biologie.

Nick Curran se rendit directement à la maison de Catherine Tramell sur Divisadero et la vit émerger avec la silhouette fragile et légèrement effacée de Hazel Dobkins. Il se rangea le long du trottoir et se tint debout à la porte de la maison. Catherine ne sembla pas embarrassée.

— Hazel, dit-elle calmement, voici Nick. Je vous ai tout dit de lui, vous vous souvenez ?

Hazel hocha la tête et sourit distraitement.

— Vous êtes le tireur, n'est-ce pas ? Comment allez-vous ?

Il sembla à Nick que la vieille dame estimait qu'ils avaient un point commun, un lien les unissant, la fraternité des gens qui ont pris une vie humaine, comme s'ils faisaient partie du même club ou de la même loge. Il s'attendait presque à la voir lui donner la poignée de main secrète des tueurs.

— Je vais bien, merci, dit-il.

Il se tourna vers Catherine.

— Il faut que je te parle une minute.

Catherine dirigea Hazel vers la Lotus garée devant la maison.

— Chère amie, pourquoi ne montez-vous pas en voiture ? J'arrive tout de suite.

— D'accord. Au revoir, Tireur, dit-elle gaiement.

Dès qu'elle fut hors de portée de voix il se tourna vers Catherine, en secouant la tête.

— Tu aimes te promener avec des meurtrières ou quoi ? Savais-tu que Roxy...

Catherine l'interrompit.

— Bien sûr que je le savais.

— Et tu t'en moquais ? Ou bien est-ce que cela la rendait encore plus exotique ? Plus désirable ?

— Ecoute. J'écris sur des gens peu courants.

— Ecrire est une chose, dit-il, les inviter dans ton lit en est une autre.

— Parfois, lorsque j'effectue mes recherches, ils se retrouvent impliqués dans ma vie. Cela arrive, tu sais.

— Tu parles que ça arrive.

— C'est arrivé avec toi, constata-t-elle.

— Ce n'est pas la même chose.

— Si, ça l'est. Tu as été fasciné par moi. Je suis fascinée par les tueurs. Tuer n'est pas comme fumer. On ne peut pas arrêter.

— Bon Dieu, qu'est-ce que c'est censé vouloir dire ?

Elle l'embrassa sur la joue, un baiser chaud, presque un baiser d'épouse.

— Il faut que j'y aille. J'ai promis de ramener Hazel chez elle pour six heures. Elle adore suivre *Les Criminels les plus recherchés d'Amérique.*[1]

— Quoi ? Elle espère voir quelqu'un qu'elle connaît à l'écran ? C'est ça ?

— Je ne peux pas te parler maintenant, dit Catherine en partant vers la voiture.

— Il n'y avait pas de Lisa Oberman à Berkeley quand tu y étais, dit-il, la défiant.

Elle s'arrêta net.

— Qu'est-ce que tu faisais ? Tu vérifiais mes déclarations ? Pourquoi ?

— De la recherche, dit-il.

Elle se glissa derrière le volant de la Lotus et démarra. La vitre descendit en silence.

— Pas d'Oberman, hein ?

— C'est ça.

— Eh bien, pourquoi n'essaierais-tu pas Lisa Hoberman ?

Elle enclencha une vitesse, fit ronfler le moteur deux ou trois fois puis fila dans la rue.

L'étudiante qui s'était occupée de Nick Curran à Dwinelle Hall dans l'université de Berkeley fut la même qui répondit à son appel téléphonique, précipitamment lancé depuis une cabine à quelques rues de la maison de Catherine. Elle reconnut sa voix ; il reconnut la sienne. Tous deux firent semblant de ne s'être jamais parlé auparavant, bien qu'il y ait eu une indéniable note de triomphe dans les manières de la jeune femme. Il *s'était* trompé, juste comme elle l'avait supposé. Oberman, Hoberman — c'était une erreur courante et facile à commettre — mais elle sentait néanmoins qu'elle avait obtenu une espèce de revanche.

— Oui, dit-elle, j'ai une Hoberman, Lisa, de septembre 1979 à mai 1983.

1. Cette émission, où l'on diffuse la photo de personnes recherchées par la police, dans le but de susciter des témoignages, a permis l'arrestation de nombreux criminels. (NDT)

— Bien, dit Nick.

Il se boucha l'oreille ouverte aux bruits de la circulation dans la rue.

— Donnez-moi tout ce que vous avez.

— Vous voulez ses notes ?

— Tout sauf ses notes.

— Je peux vous dire où elle vivait, je peux vous dire à quels cours elle était inscrite. A part ça je n'ai pas grand-chose.

Il ne voyait vraiment pas la nécessité de connaître les résultats scolaires de Lisa Hoberman, et des informations sur son domicile remontant à plus de dix ans seraient inutiles. Il y avait, cependant, une information qu'il pouvait utiliser, une clef à neuf chiffres ouvrant sur la vie de chaque citoyen américain.

— Avez-vous son numéro de sécurité sociale ? demanda-t-il.

— Oui.

L'étudiante épela les chiffres et il les nota sur le calepin qu'il gardait en permanence dans sa poche revolver.

— Merci, dit-il. J'apprécie beaucoup votre aide.

Nick raccrocha et se tint un moment immobile au bord du trottoir, se demandant ce que serait son prochain mouvement. Il voulait en savoir plus à propos de Lisa Hoberman et savait où il pouvait obtenir de plus amples informations. Le problème était qu'on lui interdisait le recours au réseau d'ordinateurs du quartier général de la police. Il était certain que son code d'accès avait été annulé et, même dans le cas contraire, il ne pouvait se permettre de laisser enregistrer son nom. Quiconque se connectait à la machine était automatiquement inscrit dans le fichier des accès. Donc, il lui fallait un complice, un complice qui garderait la bouche close.

Le candidat naturel était Gus Moran, bien entendu, mais Nick proféra toutes les malédictions et à toutes les obscénités qu'il connaissait en écoutant le téléphone de son équipier sonner encore et encore. Nick abandonna la cabine téléphonique et fit un saut au Wagon Bâché et Chez Mac. Gus n'était ni à l'un ni à l'autre.

Ce qui signifiait qu'il devait se rabattre sur le second

choix. Andrews l'avait aidé une fois déjà, peut-être l'aiderait-il encore. L'inspecteur n'avait pas été très enthousiaste, mais Nick supposait que cela valait la peine d'essayer.

Andrews était au Cent-Quatre, prenant quelques verres avec deux autres types, des hommes que Nick reconnut comme étant des flics mais dont il ignorait les noms. Ils n'étaient pas des Homicides, ce qui valait mieux car, ainsi, il était peu probable qu'ils se posent des questions quant à son besoin de parler à Andrews. On pouvait parier à coup sûr, cependant, qu'ils savaient tout des problèmes de Nick.

Il attira Andrews hors de portée de voix de ses compagnons de bar.

— Sam, dit-il, j'ai besoin que tu me rendes un service...

Il n'y avait pas une âme dans la salle de la brigade des Homicides, ce qui leur convenait parfaitement à tous les deux. Andrews se faufila comme un rat d'hôtel dans le grand bureau encombré, osant à peine respirer et n'allumant qu'une seule lampe.

— Je dois avoir complètement perdu la tête, murmura-t-il. Je pourrais me faire botter le cul en beauté pour ça. Je ne parle pas d'ouvrir les fichiers pour toi, tu n'es même pas censé pénétrer dans cette pièce. Dans ce foutu bâtiment !

— Je ne l'oublierai pas, Sam, je te le jure. Je n'oublie jamais un service.

— Le seul service que tu pourras me rendre, Nick, c'est de me trouver du boulot dans le même garage que celui où tu laveras des bagnoles. C'est ce qu'on fera tous les deux si on nous surprend ici.

— Hé, ne te moque pas. C'est sans doute un bon boulot. C'est en plein air, on y rencontre des gens intéressants.

— S'il te plaît, demanda Andrews, contente-toi de la fermer.

Il s'assit au terminal de l'ordinateur et usa de son code pour se connecter.

— Bien, murmura Nick en fixant l'écran. Demande une vérification de permis de conduire sur Lisa Hoberman.

Il lui récita de mémoire le numéro de sécurité sociale.

Andrews tapa l'information et le gros cerveau se tint coi un moment, comme s'il pesait la question. Puis des mots jaillirent sur l'écran : 1987 Renouvellement — Elisabeth Garner. 147 Queenston Drive, Salinas, CA.

Nick faillit pousser un cri lorsqu'il vit le nom. Luttant contre une horreur grandissante qui lui donnait des envies de vomir, il garda son calme.

— Fais apparaître la carte, tu veux, Sam ?

Andrew entra les commandes et une copie informatisée du permis véritable apparut sur le moniteur vidéo. La photo qui figurait sur le document était indéniablement celle de la psychiatre dont la vie se trouvait si intimement liée à celle de Nick.

— Hé ! s'exclama Andrews. C'est le Docteur Garner, non ?

— Ouais. Appelle 1980, s'il te plaît.

La photo remontant à dix ans en arrière était différente, bien sûr. Beth paraissait plus jeune, moins raffinée — elle était étudiante à l'époque, après tout, mais ce n'était pas la différence la plus frappante. La Beth Garner d'aujourd'hui avait des cheveux bruns très sombres et brillants. La Beth Garner de dix ans plus tôt avait de longs cheveux blonds, de longues tresses dorées dont Nick pouvait voir, même sur la photo floue du permis de conduire, qu'elles correspondaient exactement à la couleur des cheveux de Catherine Tramell.

CHAPITRE DIX-HUIT

Beth Garner ne parut pas surprise de trouver Nick assis dans l'obscurité de son salon lorsqu'elle revint chez elle ce soir-là. On eût dit qu'elle s'était attendue à sa présence ici. Pour sa part, Nick ne présenta pas d'excuses pour s'être introduit dans son appartement.

— Tu ne devrais pas laisser ta porte ouverte. On ne sait jamais qui pourrait entrer.

— Je n'avais pas laissé la porte ouverte, dit-elle froidement. La serrure ne fonctionne pas correctement.

Elle gifla un interrupteur pour allumer la lumière.

— Qu'est-ce que tu veux, Nick ? Je suis très fatiguée.

— Parle-moi de Catherine.

Elle le regarda un moment, puis haussa les épaules.

— Elle t'a raconté, hein ? Qu'est-ce qu'elle t'a dit ?

— Qu'est-ce qu'elle m'a dit, Beth ? Supposons que je l'entende de toi, avec tes propres mots.

— J'ai couché avec elle une fois, à l'école, dit-elle vivement.

En tant que psychologue, l'homosexualité n'était pas un comportement anormal pour elle, rien dont on ait à avoir honte. En tant qu'hétérosexuelle, cependant, elle ressentait le besoin de justifier ses actes.

— Je n'étais qu'une gosse. Je faisais des expériences. Il n'y a eu que cette fois-là.

— Juste une seule fois ? Tu as couché avec elle une seule fois puis tu ne l'as jamais revue ? C'est ça ?

Beth Garner hésita un moment.

— Non... Non, ce ne fut pas si simple. Elle a fait

une... fixation sur moi. Elle s'est coiffée comme moi. Elle s'est mise à porter le même genre de vêtements que moi. Elle me suivait. Elle me harcelait. Me persécutait. C'était effrayant. Cela m'a effrayée à l'époque. Cela m'effraie encore aujourd'hui. C'est une femme dangereuse, Nick, tu dois le savoir.

Nick hocha la tête. Il était frappé d'entendre ce qui était une véritable image inversée, comme dans un miroir, de la même histoire. Les mots de Beth Garner et sa réaction à l'incident étaient presque identiques à ceux de Catherine Tramell. La question restait posée quelle était la tortionnaire, et quelle était la victime ?

— C'est ce qu'elle t'a raconté, n'est-ce pas ? demanda Beth.

Nick secoua la tête.

— Non, pas tout a fait. Elle m'a dit que c'était toi...

— Moi !

— *Tu* portais le même genre de vêtements qu'elle. *Tu* as teint tes cheveux en blond.

— J'ai teint mes cheveux, protesta Beth. Cela n'avait rien à voir avec elle. J'ai été rousse pendant un temps, également. Je te l'ai dit, j'étais jeune, je faisais des expériences.

— Connaissais-tu Noah Goldstein ?

— Il a été mon professeur pour deux cours, dit Beth.

Nick perdit soudain patience.

— Tu as vu tous les rapports dans cette affaire, Beth ! Phil Walker a fait en sorte que tu sois tenue au courant de tout. Tu savais tout de Catherine Tramell et tu n'as jamais rien dit. Comment diable expliques-tu ça ?

— Qu'est-ce que je suis censée dire ? protesta Beth. Qu'est-ce que j'étais supposée faire ? Aller voir votre bande de flics et dire, hé, je ne suis pas lesbienne ou quoi que ce soit de tel, les gars, mais il se trouve qu'il y a une dizaine d'années j'ai baisé avec votre suspecte.

Elle se détourna, les bras croisés sur la poitrine, comme pour se tenir chaud. Des larmes perlaient aux coins de ses yeux.

— Cela paraît insensé, cela paraît hypocrite venant de moi, une psy, mais j'étais embarrassée. C'est la seule fois où je sois sortie avec une femme.

— Tu penses que nous aurions été choqués ? Pour l'amour de Dieu, Beth, nous sommes des flics.

— Ouais, c'est ça, des flics. L'instant d'après tout le service aurait été au courant. Des petites plaisanteries, des ricanements dans les vestiaires.

Elle haleta, à la recherche de son souffle, essayant de se reprendre.

— De toute façon, ce n'était pas important.

— Qu'est qui l'est, alors ?

— L'important, Nick, c'est que tu fasses attention, que tu te méfies d'elle. Elle est vraiment malade, tu sais ? Ne vois-tu pas ce qui est en train de se préparer ?

Elle le fixa, ses yeux suppliant qu'il comprenne, suppliant qu'il la croie.

— Je ne sais pas si elle est en train de jouer une espèce de revanche, mais elle a tout planifié. Elle sait que je suis allée à Berkeley. Elle sait que je connaissais Noah Goldstein. Elle a inventé cette histoire me concernant. Elle essaye de t'amener à croire qu'elle m'obsède. Elle essaye de me livrer entre tes mains avec un joli nœud, et de dire « Voilà, c'est la cinglée qui a tué Johnny Boz ».

— Elle ne t'a pas livrée, dit Nick avec fureur. Elle ne sait même pas qui tu es. Elle m'a parlé de Lisa Hoberman. Pas de Beth Garner.

— Je n'arrive pas à croire que tu sois si stupide, rétorqua Beth. Elle savait que tu trouverais qui était Lisa Hoberman. Tu es un flic, après tout — un bon flic. Qu'est-ce qu'elle a fait ? Laisse-moi deviner. Elle t'en a parlé en passant et en donnant l'impression que ce n'était pas important ?

Beth sourit, mais c'était un sourire crispé, méchant.

— Te l'a-t-elle dit au lit, Nick ? Elle doit l'avoir fait. C'est ce que j'aurais fait à sa place.

Nick se détourna d'elle, se remémorant la forme tremblante de Catherine tandis qu'elle lui racontait l'histoire terrifiante de Lisa Hoberman.

— Pourquoi as-tu changé de nom, Beth ?

— Je me suis mariée. Il m'appelait Beth.

— Mariée ? Je n'ai jamais su que tu avais été mariée.

— Cela ne te concernait pas, rétorqua-t-elle.

Puis elle haussa les épaules, supposant que Nick

devait déjà tout savoir. Elle n'avait pas honte d'avoir été mariée autrefois et d'avoir divorcé.

— J'ai rencontré mon mari juste en sortant de l'école de médecine. Nous étions internes ensemble, il était dans l'équipe de la clinique gratuite à Salinas. Le mariage n'a pas duré longtemps.

— Combien de temps ?

— Pas longtemps. Nick — crois-tu vraiment que je... que je pourrais tuer quelqu'un ? Je n'ai jamais rencontré Johnny Boz. Je n'avais même jamais entendu parler de lui.

Nick avait l'impression de se trouver sur un manège. Il ne savait plus qui ou quoi croire. Il se tourna pour partir.

— Et Nilsen ? l'appela Beth. Quel motif possible aurais-je eu de tuer Nilsen ? Ça ne colle pas, Nick. Réfléchis.

Nick réfléchissait. Mais il ne disait pas à quoi il pensait, pas à elle, de toute manière. Il promena son doigt sur le verrou cassé de sa porte.

— Tu devrais faire arranger ce verrou, tu sais. Il y a beaucoup de mauvais éléments dans les parages.

— C'est vrai, acquiesça Beth avec exaltation.

Elle lui tendit les deux bras, en une bénédiction, comme pour le protéger de quelque mal satanique une diablerie qu'elle seule avait le pouvoir talismanique d'annihiler.

— Elle est le mal. Elle est très intelligente. Sois prudent, Nick.

Nick hocha la tête, comme pour lui marquer son accord. Mais il n'avait jamais été prudent, à propos de rien et *certainement pas* en ce qui concernait les femmes. Pourquoi commencer maintenant ?

Il ne fut pas prudent lorsqu'il entra dans le couloir de son immeuble plongé dans l'obscurité, et ne réfléchit pas à deux fois avant de remonter le corridor mal éclairé jusqu'à sa porte. Tandis qu'il pêchait ses clefs dans sa poche, il sentit une main sur son épaule et il bondit comme s'il avait été brûlé.

— Bon Dieu !

Catherine Tramell avait émergé de l'ombre et riait de lui.

— Est-ce que je t'ai fait peur ? demanda-t-elle, les yeux brillants de satisfaction.

Elle savait pertinemment qu'elle l'avait effrayé et cela semblait lui plaire — tout comme lorsqu'elle lui avait bondi dessus sur la plage.

— Tu ne devrais jamais surprendre un homme quand tu sais qu'il est armé, dit-il. C'est comme ça que les accidents arrivent.

— Mais je sais que tu n'es pas armé, répondit-elle. Tu as dû rendre ton arme lorsque tu... t'es mis en vacances.

Elle avait raison, bien sûr. Il toucha l'endroit sous son aisselle gauche où son .38 aurait dû normalement nicher. Porter une arme était devenu une seconde nature chez lui. A présent il se sentait tout nu sans elle.

— En tout cas, je me suis dit que j'allais te surprendre, poursuivit-elle d'une voix pleine d'entrain, presque gaie.

Puis elle vit que quelque chose le perturbait, quelque chose de plus troublant que le fait qu'elle l'ait pris par surprise.

— Qu'est-ce qu'il y a, Nick ?

— J'ai retrouvé Lisa Hoberman, dit-il.

— Vraiment ? Qu'est-ce qu'elle fait ?

— Tu es seulement intéressée par ce qu'est devenue ton ancienne copine d'école, c'est ça ?

Elle le fixa un moment, incrédule.

— Tu ne vas pas me dire ce qu'elle fait ? Je croyais que nous ne jouions plus à des jeux ?

Nick déverrouilla la porte de son appartement, mais n'entra pas, restant sur le seuil, comme pour en interdire l'accès.

— Moi aussi. Je croyais que les jeux faisaient partie du passé.

— C'est vrai, insista-t-elle.

— Alors comment se fait-il que l'histoire que j'ai entendue est un peu différente de la tienne ? Elle m'a dit que les choses étaient exactement inversées — que tu étais obsédée par elle. Elle dit que tu es même allée jusqu'à te coiffer comme elle le faisait.

Catherine sourit, lentement.

— Et tu l'as crue ? L'absence de limites à ta crédulité m'étonne, Nick, vraiment. J'ai été la victime. J'ai été celle qui a dû aller trouver la police du campus pour déposer une plainte contre elle.

— Vraiment ?

Il ne la croyait toujours pas.

— Exactement. Tu crois toujours que je tue des gens, n'est-ce pas ?

Nick ne pensait pas qu'elle tuait des gens. Il ne *voulait* pas la croire capable de ça.

— Non, dit-il doucement.

— Menteur, cracha-t-elle.

Elle pivota sur les talons et redescendit le long de l'escalier obscur avec l'assurance et l'aplomb d'un mannequin de haute couture.

CHAPITRE DIX-NEUF

Un des gros avantages qu'il y avait à être en congé de maladie, songeait Nick au volant de sa voiture en attendant de traverser le pont sur la Baie, était que le nombre de cas dont on s'occupait était beaucoup moins élevé. En temps normal, lui et Gus travaillaient simultanément sur une demi-douzaine d'homicides, et luttaient pour se tenir au courant des derniers détails de chaque enquête. Maintenant, en congé de maladie mentale, Nick était libre de consacrer son temps à un cas unique, celui qui l'intéressait le plus : démêler la vie embrouillée de Catherine Tramell. Il ne s'agissait même plus de Johnny Boz, à présent Nick voulait la connaître *elle*, séparer les mensonges de la vérité, les faits de la fiction.

Il traversa le pont pour Berkeley ce matin-là, garant sa voiture à Bancroft et s'orientant rapidement sur le campus. Devant l'imposante bibliothèque dressée à la mémoire de Doe, il rencontra un policier du campus qui lui dit que le quartier général de la sécurité de l'université se trouvait au sous-sol de Colton Hall.

Le gardien à la réception était un homme entre deux âges, un flic à la retraite qui aurait passé la majeure partie de la matinée à l'ennuyer avec le récit de ses années passées dans les forces de la police d'Albany, si Nick n'avait pas insisté sur l'urgence de sa mission. Il parla au vieillard comme s'il était un véritable policier, un frère d'armes.

— Je dois revenir à San Francisco avec le dossier, dit Nick, ou le lieutenant aura ma peau. Vous savez ce que c'est.

Le vieux gloussa.

— Vous parlez ! On avait de sacrés emmerdeurs à mon époque aussi, vous savez.

— Ça ne m'étonne pas.

Le garde du campus le conduisit dans la salle des archives de la sécurité de l'université. Elle était emplie de vieux dossiers, du plancher au plafond. Un pour chaque incident signalé durant la période moderne de l'histoire de l'université de Californie, à Berkeley. Parmi les plaintes pour vols de culottes et les soûleries à la bière dégénérant en bagarres, se trouvaient des crimes plus sérieux.

— Dans quoi disiez-vous que vous étiez ? demanda le flic du campus.

— Les Homicides, répondit Nick.

— Les types des Homicides que j'ai rencontrés étaient tous des petits malins qui savaient toujours tout. Vous êtes un petit malin, vous aussi ?

— Non, répondit Nick.

— Heureux de l'entendre. L'homme s'était arrêté devant un des tiroirs et en extrayait un dossier.

— Nous y voici, dit-il en voyant la chemise jaunie. Presque.

— Comment ça, presque ?

— Il y avait un dossier concernant Lisa Hoberman — janvier 1980. Mais il n'est pas là. Il est sorti.

— Sorti ? Qu'est-ce que c'est que ça ? Une bibliothèque ? demanda Nick.

Le garde lui jeta un coup d'œil réprobateur, comme s'il commençait à soupçonner que Nick Curran, après tout, n'était rien d'autre qu'un petit malin des Homicides.

— Du calme, monsieur.

— Qui l'a pris ?

— Un des vôtres. Un type du nom de Nilsen.

Nick lui arracha le papier des mains et lut les deux lignes : Dossier confié à l'inspecteur de police de la ville de San Francisco, M. Nilsen. Inspection générale 19/11/90.

— Vous connaissez ce type ? demanda le garde du campus.

— Ouais, répondit lentement Nick. Je le connais.
— Et bien, dites-lui de le rapporter. Il l'a depuis plus d'un an, vous savez.
— Ouais, dit Nick. Je le lui dirai, comptez sur moi.

La tête de Nick tournait et il avait besoin d'une bonne dose de saine réflexion administrée par le Dr Gus Moran. Il appela son partenaire depuis une cabine publique sur le campus de Berkeley et ils convinrent de se retrouver du côté San Francisco de la baie. Désirant un endroit tranquille et discret, ils choisirent la jetée 7, enrobée de brouillard, au sud de Market et de l'Embarcadero. Ils parcoururent le vieux dock désaffecté en réexaminant les faits à plusieurs reprises.
— Donc Nilsen avait un rapport sur elle, et alors ? Tu ne sais même pas ce qu'il contenait, dit Gus.
— Catherine m'a dit ce qu'il contenait.
— Si elle t'a dit la vérité, souligna prudemment Gus.
— Est-ce que tu ne comprends pas, Gus ? Si Beth a tué Johnny Boz pour faire plonger Catherine, elle ne voulait pas que quiconque sache ce qui s'est passé à Berkeley, même si cela remonte à des années en arrière. Mais Nilsen l'avait découvert. Et cela donne à Beth un bon motif pour le tuer.
— Ouais, dit Gus comme s'il participait à un débat, mais comment diable Nilsen l'a-t-il découvert ? Si c'est arrivé, en fait.
— Il travaillait à l'Inspection générale. Il lui a probablement posé la question.
Gus réfléchit un moment au problème. Selon lui, un aspect de la question n'avait pas de sens.
— Mais elle aurait dû être complètement cinglée. Et Beth Garner n'est pas de celles qui fréquentent des meurtriers récidivistes. Maintenant ta petite amie, d'un autre côté, est vraiment très intime avec quelques-uns de ces personnages.
— C'est un écrivain, dit Nick sur la défensive. Cela fait partie de son travail. C'est de la recherche.
— Peut-être que j'accepterai cette piteuse excuse, dit Gus. Et peut-être pas. Je n'ai pas encore décidé. Ça nous

simplifierait grandement les choses si on pouvait découvrir ce qui a bien pu se passer à Berkeley à l'époque. Il doit bien y avoir *quelqu'un* qui le sache, bon Dieu !

— Je *sais* ce qui s'est passé, insista Nick. Catherine me l'a dit. Et tout ce qu'elle m'a dit s'est vérifié.

— Tu as des foutus canaris qui te volettent autour de la tête, voilà tout.

— Tu parles !

Gus sourit.

— Crois-tu réellement que toi et elle allez baiser comme des lapins, élever des morpions et vivre heureux pour l'éternité ? *Eh, mon vieux !* S'il te plaît, ne dis pas à ton vieux copain Gus que c'est ce que tu penses.

C'était un peu ce que pensait Nick, mais même lui ne pouvait pas se résoudre à le dire à Gus.

— Je ne sais vraiment pas quoi penser, dit-il doucement.

— Bien, constata Gus. Il y a encore de l'espoir pour toi.

— Ecoute, dit Nick, il doit y avoir une façon d'aller au fond de tout ça. Comme tu le disais, quelqu'un doit savoir quelque chose.

— Bien, peut-être qu'on devrait faire un peu de ce que fait ta petite amie, un peu de recherche. Je vais me concentrer sur elle, trouver quelqu'un qui puisse remplir certains blancs.

— Comment comptes-tu t'y prendre ?

— Il se trouve par hasard, fiston, que je suis un policier professionnel expérimenté. Coup de bol pour nous deux, non ?

Nick sourit.

— Tu t'occupes d'elle, je m'occupe de Beth.

— Grave erreur.

— Peut-être, mais il y a des choses qu'il faut vérifier.

— Je parie que j'ai raison et que tu te trompes, dit Gus avec confiance.

— C'est un pari que je tiendrai.

Gus opina.

— Je te retrouverai ici, sur cette vieille jetée, dans vingt-quatre heures. Tu verras, fiston, tu verras que ton vieil équipier n'est pas encore mûr pour les pâturages.

Nick escalada les marches menant à son appartement en ayant clairement conscience que quelqu'un ou quelque chose pouvait être tapi parmi les ombres. Il n'y avait personne là, mais tandis qu'il grimpait l'escalier il nota qu'il entendait de la musique — et elle semblait provenir de son appartement. Il s'arrêta à la porte et écouta. Cela venait bien de chez lui. Il passa prudemment la tête par la porte et risqua un œil à l'intérieur.

Catherine était debout près de la fenêtre. Elle portait un jean noir et son blouson de moto de cuir noir bien-aimé, fermé presque jusqu'au ras du cou.

— Je ne pouvais pas demeurer fâchée contre toi, dit-elle. Tu me manquais.

— Je ne suis pas parti suffisamment longtemps pour te manquer, dit-il d'un ton rogue.

— Et moi, est-ce que je t'ai manqué ?

— Non.

Ses lèvres formèrent une petite moue.

— Viens ici me dire non.

Il marcha jusqu'à elle, s'approcha à la toucher, et la fixa dans les yeux.

— Non, dit-il. Tu ne m'as pas manqué.

Très lentement, elle se mit à ouvrir son blouson de moto. Comme la fermeture descendait, il devint évident qu'elle ne portait rien sous le cuir épais.

— Je les ai déjà vus, dit Nick.

— Mais tu pourrais ne plus jamais les revoir. Mon livre est presque terminé. Et le policier est presque mort.

— Vraiment ? A-t-il le temps d'une dernière cigarette ?

Elle l'attira contre elle.

— Après, dit-elle d'une voix enrouée.

Ils firent l'amour rapidement, voracement, sur le sol du salon — l'attraction intense qu'ils ressentaient l'un pour l'autre jaillissant de leurs corps, chaude et vive, comme du métal en fusion.

Lorsqu'ils eurent terminé il fouilla dans son pantalon à la recherche de ses cigarettes, en extirpa une du paquet écrasé, aspira une longue goulée de fumée avant de la lui passer.

— Je dois faire quelques recherches demain, dit-il.

— Je suis très bonne pour les recherches. Je t'aiderai.
Il lui reprit la cigarette et tira dessus.
— Non, merci.
— Quel genre de recherches ?
— Une nouvelle fin pour ton livre.
Catherine sourit.
— Vraiment ? Quelle est la surprise ?
— La surprise, c'est que le policier ne meurt pas. Lui et la mauvaise fille...
— Qu'est-ce qui leur arrive ?
— C'est une fin heureuse.
— Je déteste les fins heureuses.
— C'est bien ce que j'avais compris. Mais essaye celle-là...
Elle lui arracha la cigarette des lèvres et aspira.
— D'accord, dis toujours.
— Lui et la mauvaise fille, ils baisent comme des lapins, élèvent des morpions et vivent heureux pour l'éternité.
Catherine étudia ça un moment.
— Ça ne se vendra pas, dit-elle finalement.
— Pourquoi pas ?
— Parce que quelqu'un doit mourir.
— Pourquoi ?
— Parce qu'il faut toujours que quelqu'un meure, constata-t-elle.

CHAPITRE VINGT

Salinas est la capitale du comté de Monterey, une petite ville terne juste à l'intérieur des terres, à l'écart de la spectaculaire ligne côtière de Monterey, mais aussi différente que possible des petites villes chic qui parsèment cette dernière. Salinas tire sa richesse des fermes agricoles géantes qui l'entourent et des usines alimentaires dans les quartiers industriels de la ville. A chaque coin de rue on trouve des travailleurs journaliers immigrés, en quête d'un emploi, et l'air est chargé des odeurs d'épices de la grande usine d'épices McCormick installée en bordure est de la cité.

Salinas était le seul endroit où Nick pouvait espérer trouver des informations sur Beth Garner. Elle lui avait dit avoir été mariée là, et avoir travaillé à la clinique de Salinas. Peut-être que son ex-mari détenait des renseignements, et, si tel était le cas, Nick était déterminé à les lui extirper.

La clinique gratuite soignait les travailleurs immigrés et Nick la trouva en bordure de ville, près des champs et des rails du chemin de fer.

La salle des urgences était à moitié pleine de patients attendant leur tour de voir un médecin, mais Nick lui-même n'était pas d'humeur à patienter. Il alla directement à la salle des infirmières. Elles étaient deux, approchaient toutes deux la trentaine et toutes deux étaient immergées dans la paperasserie.

— Hello, dit-il à l'une d'elles. Je cherche un certain Dr Garner. Pourriez-vous me dire où je pourrais le trouver ?

— Il n'y a pas de docteur Garner parmi le personnel de la clinique, monsieur.

— Vous êtes sûre ?

— Nous en avons eu un. Il y a un certain temps, quand j'ai commencé à travailler ici. docteur Joseph Garner.

— Ce serait lui, dit Nick.

— Et bien, j'ai peur qu'il ne soit plus parmi nous.

— Sauriez-vous où il est allé ?

— Non, vous ne comprenez pas. Il n'est plus parmi nous. Il n'est plus avec personne. Il est mort.

— Mort ? Comment est-il mort ?

L'infirmière hésita un instant.

— Il a été assassiné. C'est tout ce que j'en sais.

Nick trouva l'un des adjoints du shérif de Salinas devant le poste de police, en train d'arroser une camionnette Chevrolet Blazer blanche. Ce n'était pas un véhicule de police et le policier semblait avoir tout le temps de laver sa propre voiture et de bavarder avec le flic de la grande ville. Il savait tout de la mort du docteur Joseph Garner.

Il dirigea un jet d'eau précis sur le pare-brise.

— Le docteur Garner, le plus bizarre des trucs. C'est une ville plutôt tranquille. Pas beaucoup d'ennuis avec les travailleurs immigrés. Ils savent que s'ils font des problèmes on les renverra chez eux.

L'eau pianota sur la portière du camion.

— Et Garner. Que s'est-il passé ?

— Comme je l'ai dit, c'était bizarre. Il revenait à pied de son travail. Lui et sa femme ne vivaient qu'à quelques rues de la clinique. Quelqu'un est passé en voiture et l'a tué.

— Un tireur fou ? demanda Nick. Où sommes-nous ici, à Oakland ?

— Non. C'était sacrément bizarre, comme je l'ai dit.

— Qu'a-t-on utilisé comme arme ?

— Un revolver calibre .38. On ne l'a jamais retrouvé.

Il dirigea le jet vers les roues, l'eau faisant exploser la boue sur les enjoliveurs.

— Est-ce qu'il y avait des suspects ?

— Non. Pas de suspects, pas de motifs. Affaire non classée.

— Est-ce qu'on a soupçonné sa femme ?

Le shérif coupa le jet d'eau et observa Nick avec curiosité.

— Vous savez, j'ai eu la visite d'un autre de vos collègues de Frisco, il y a environ un an. Il m'a posé les mêmes questions. Qu'est-ce que ça veut dire ?

— La routine, dit Nick.

Tous deux savaient qu'en code de flic cela signifiait « occupez-vous de vos affaires ».

— Ouais, il a dit lui aussi que c'était la routine. Maintenant il y a deux gars qui disent que c'est la routine.

— Vous souvenez-vous de son nom ?

Le shérif réfléchit un moment, puis secoua la tête.

— Non. Je peux pas dire.

— Si vous l'entendiez à nouveau, est-ce que vous le reconnaîtriez ?

— C'est possible.

Il rouvrit le jet d'eau, se concentrant sur les pneus arrière.

— Nilsen ?

— C'est ça.

— Est-ce qu'elle a été soupçonnée ?

Le policier secoua la tête.

— Non. Il y a eu des commérages. Mais rien n'a jamais pu être confirmé.

— Quel genre de commérages ? insista Nick.

— Une petite amie, dit le Shérif.

— Il avait une maîtresse ?

— Non. *Elle* en avait une. Mais comme je vous le disais, ça n'a jamais été prouvé.

Il coupa le jet d'eau et commença à enrouler le tuyau. La Chevrolet brillait et gouttait.

— Merci, dit Nick.

— J'espère vous avoir été utile.

— Vous l'avez été, dit Nick. Vous pouvez le croire.

Il y avait un autre son dans la maison de Catherine à

Stinson Beach, aussi régulier et rythmé que le martèlement des vagues. C'était celui de l'imprimante laser de sa machine à traitement de texte, crachant les pages de son livre.

La machine était si discrète que Nick n'en eut pas conscience avant d'être entré profondément dans la maison. Il n'y avait nul trace de Catherine, mais quelqu'un avait sorti les premières pages imprimées du plateau. Il prit celle du dessus, une page de titre. Elle disait : *Tireur*, par Catherine Woolf.

— Le titre te plaît ?

Elle se tenait dans l'encadrement de la porte.

— Très... attirant, dit-il.

— C'est fini. J'ai fini mon livre.

Il feuilleta les pages.

— Comment cela se termine-t-il ?

— Je te l'ai dit. Elle le tue.

Elle écrasa sa cigarette sur le sol.

— Au revoir, Nick.

— Au revoir ?

— J'ai terminé mon livre.

Les mots ne semblaient avoir aucun effet sur Nick. Il restait figé sur place.

— Est-ce que tu ne m'as pas entendue ?

Nick ne donnait nullement l'impression d'avoir entendu. Il la fixait, fouillant son regard en quête d'un signe, d'un symbole de réconciliation.

— Ton personnage est mort, Nick. Cela veut dire au revoir. Elle partit en direction de la terrasse.

— Qu'est-ce que tu veux, Nick, des fleurs ? Je t'en enverrai un exemplaire dédicacé, qu'est-ce que tu en dis ?

— Qu'est-ce que c'est que ça ? Une espèce de jeu ?

Il faillit sourire, certain de l'avoir enfin percée à jour.

— Est-ce que nous jouons à nouveau ?

— Les jeux sont faits, dit-elle froidement. Tu avais raison. C'était la baise du siècle, Tireur.

— Bon Dieu, de quoi parles-tu ?

De l'intérieur de la maison quelqu'un appela.

— Catherine ?

C'était une voix âgée, l'appel d'une vieille dame.

— J'arrive tout de suite, Hazel, répondit Catherine.
— Adieu, Nick, ajouta-t-elle doucement.

— Mais...

— Je suis sérieuse, précisa-t-elle.

Et il y avait quelque chose dans sa voix qui lui confirma que, pour une fois, elle ne jouait pas à un jeu.

Nick arriva à la jetée avant Gus. Il attendit dans sa voiture, en fumant. Gus rangea sa Cadillac à côté de la Mustang et écrasa l'avertisseur. Il se pencha et ouvrit la portière du passager de la grosse voiture.

— Monte, cria-t-il à Nick.

Nick se glissa à côté de son équipier et devina rien qu'à son expression que le vieux flic tenait quelque chose, quelque chose de sacrément gros. Gus irradiait pratiquement d'excitation.

— J'ai beaucoup de choses qui pourraient t'intéresser, fiston. J'ai appelé des filles de la pension où logeait Tramell. Je suis allé chercher le livre de souvenirs de sa classe, j'ai branché dessus l'association des anciens élèves, tout le cirque. Ils sont très coopératifs, ces gens de Berkeley.

— Fantastique, dit Nick d'un ton maussade. Allez, Gus, magne-toi.

— Ne me bouscule pas, fiston. Donc le message est passé et ce matin j'ai eu un appel de la compagne de chambre de Catherine Tramell en première année d'université.

— *Elle* t'a appelé, *toi* ?

— C'est ça. Elle s'appelle Mary Beth Lambert. J'ai vérifié dans le bouquin de la classe, c'est bien elle. Elle dit qu'elle sait tout de Catherine Tramell et Lisa Hoberman. Je vais te dire, ta petite amie a toujours aimé faire peur au gens. Après tant de temps, cette Mary Beth Lambert dit qu'elle ne veut pas parler de Catherine au téléphone. Elle insiste pour le faire face à face — elle disait que je pourrais être n'importe qui. Elle se trouve à Oakland, je dois la rencontrer à son bureau sur Pill Hill. Elle a dit que ce serait mieux ainsi, après le travail, après que tous ses collègues se seront séparés. C'est ce qu'elle a dit : « séparés ». Gus fit démarrer sa voiture.

— On dirait qu'on va faire un tour à Oakland, fiston.

Nick se contenta de hausser les épaules. Si Catherine l'avait réellement retranché de sa vie — s'il n'avait *vraiment* été rien d'autre pour elle qu'un objet de recherche — alors il n'avait plus envie de rien.

— Tu n'as pas bonne mine, fiston, dit Gus. Ne prend pas ça mal si le vieux Gus t'a battu. Je devais partir sur un coup de maître. Laisse un vieillard avoir un peu de gloire. Ça t'ennuie ?

— Ça ne m'ennuie pas, Gus, dit doucement Nick.

— Bon.

Il engagea la voiture dans la circulation en direction du pont sur la baie et vers East Bay. Il pétillait toujours au sujet de ses découvertes.

— Et la compagne de chambre n'est pas la seule chose que j'aie trouvée. Savais-tu que Beth Garner avait un cabinet privé ? Elle partage un cabinet sur Van Ness avec un autre réducteur de tête. Et sais-tu qui est le patient le plus célèbre de son collègue ? Où plutôt, qui c'était ? *Ce foutu Johnny Boz !*

Gus poussa un hurlement et cogna sur le volant.

— Catherine Tramell l'apprend et imagine qu'elle peut nous persuader que Beth est une dingue du pic à glace. Tu as perdu, fils, tu as perdu !

Il jeta un coup d'œil en biais à Nick, s'attendant à le voir se tortiller sur son siège avant de lui renvoyer une obscénité. Mais Nick demeurait totalement immobile, le visage aussi figé qu'un roc.

Habituellement il n'était pas mauvais perdant.

— Bon Dieu, qu'est-ce que tu as ?

— Ta gueule, Gus.

Gus haussa les épaules.

— Désolé d'avoir parlé.

Ils parcoururent le reste du trajet jusqu'à Oakland en silence.

Pill Hill était dans un quartier nord d'Oakland, un rassemblement d'immeubles de bureaux et d'hôpitaux, le centre médical d'East Bay. Gus arrêta la Cadillac devant un immeuble, une tour de bureaux, et coupa le moteur. Les deux hommes sortirent de la voiture.

— Où diable vas-tu ? demanda Gus.

— Je viens avec toi.

— Hon-hon. Tu es en congé maladie, fils. Ce ne sera pas long. Je reviens dans une minute.

— Bien, me diras-tu au moins où tu vas ?

— Suite 405, fils. Attend simplement mon retour dans la voiture. Puis nous irons prendre quelques verres et je te raconterai toute l'histoire. Nick hésita un instant.

— C'est mon histoire, Nicky, laisse-moi la mener à ma façon.

Nick hocha la tête.

— D'accord.

Il remonta dans la voiture et Gus se dirigea vers l'immeuble.

La tour de bureaux était déserte, mais l'immeuble n'était pas fermé et les portes de l'ascenseur étaient encore ouvertes au rez-de-chaussée. Gus monta dans la cabine et cogna sur le quatre. Elle grimpa d'un étage et s'arrêta, les portes s'ouvrant en coulissant. Gus frappa à nouveau le bouton et poussa un juron étouffé. L'ascenseur monta, s'arrêta au troisième étage. Les portes s'ouvrirent sur un couloir désert.

— Bon Dieu !

Gus détestait la technologie. Les portes se refermèrent à nouveau et l'ascenseur reprit sa montée. Les portes glissèrent au quatrième et Gus sortit dans le couloir plongé dans l'ombre. Il ne s'attendait pas à voir quelqu'un, aussi n'eut-il qu'un bref aperçu de longs cheveux blonds et d'un pic à glace. Il le vit luire juste avant qu'il se plante dans sa gorge.

Nick était assis, affalé dans le fauteuil du passager de la voiture lorsque soudain une des paroles qu'avait prononcées Gus le frappa avec la force d'un uppercut. La compagne de chambre de Catherine en première année d'université l'avait appelé. Combien y avait-il de chances pour que cela se produise ? Quelqu'un avait appelé Gus et l'avait attiré droit dans un piège — ce devait être ça !

Nick jaillit de la voiture, fonçant vers l'immeuble. Il grimpa l'escalier de secours quatre à quatre et se rua sur le palier du quatrième par la porte pare-feu de métal.

Gus était effondré en travers de la porte ouverte de

l'ascenseur, du sang coulant d'une douzaine de blessures au visage, du cou aux mâchoires et aux joues. La porte roula sur ses rails, essaya de se fermer, heurta le corps sanglant de Gus, puis s'écarta à nouveau.

— Gus ! cria Nick.

Il tomba à genoux à côté de son équipier et tenta d'endiguer le flot de sang de ses mains nues. Le liquide chaud coulait entre ses doigts comme un torrent poisseux.

Les yeux de Gus étaient vitreux, la vie le quittait de seconde en seconde. La mort râlait dans sa gorge.

— Gus... Gus... gémit Nick. Non, *s'il te plaît...*

Gus frissonna et s'affaissa. Nick était trempé du sang de son équipier. Il tira l'arme que Gus portait à la ceinture. L'ascenseur était immobilisé et Nick n'avait vu personne dans l'escalier. Quiconque avait tué Gus se trouvait encore là, à cet étage.

Un bruit. Nick pivota, et se trouva face à face avec exactement la personne qu'il s'était attendu à rencontrer-là.

— Ne bouge pas ! hurla-t-il, l'arme tendue devant lui en position de combat. Le canon était braqué droit sur la poitrine de Beth Garner. Elle pâlit atrocement et sursauta, ses mains plongeant dans les poches de son imperméable.

— Qu'est-ce que tu fais ici ?

— Lève les mains !

— Où est Gus ? J'ai reçu un message sur mon répondeur me demandant de retrouver Gus ici. Où est-il ?

Elle tenait quelque chose dans la poche droite de son imperméable.

— Lève tes putains de mains ! hurla Nick. Ne bouge pas !

— Nick, s'il te plaît...

Elle fit un pas en avant.

— Non ! Ne bouge pas !

Il arma le chien du revolver.

— Je sais pour ton mari.

Beth parut pâlir plus encore.

— Mon mari ?

— Et je sais que tu aimais les filles. Tu aimes toujours les filles, Beth ?

— *Quoi ?*

Elle souriait étrangement, un sourire bizarre, inquiétant, un sourire de compréhension, et elle fit un autre pas vers lui.

— Sors les mains de tes poches !

— *Qu'est-ce qui te prend ?*

Elle fonça sur lui, les mains sortant de ses poches au moment où elle se précipitait.

Nick tira une fois, la détonation résonnant lourdement dans la pièce. La balle l'atteignit en pleine poitrine, la projetant en arrière sur le sol. Il garda l'arme braquée sur elle un moment. Beth vivait encore — à peine. Il se laissa tomber sur un genou et lui tira la main droite de la poche. Fermement serrées dans son poing fermé se trouvaient ses clefs. Pas d'arme.

Beth murmura quelques mots d'un ton si bas et si faible qu'il dut se pencher jusqu'à ce que son oreille effleure ses lèvres. Elle murmura ses derniers mots.

— Je t'aimais.

— Qu'est-ce qui vous a fait croire qu'elle avait un revolver ? Phil Walker se tenait debout devant Nick Curran, perturbé et inquiet. Gus Moran était mort, Beth Garner était morte et Nick Curran semblait s'être transformé en zombie. La foule que l'on trouvait habituellement sur la scène d'un crime était éparpillée autour de lui — le coroner, l'équipe du labo, les uniformes —, mais les yeux de Nick n'enregistraient pas vraiment la bousculade et la hâte.

— Bon Dieu, qu'est-ce que Beth faisait ici ? Qu'est-ce que Gus faisait ici ? Phil Walker cherchait désespérément une réponse, mais parler à Nick était comme de s'adresser à un objet inanimé.

— Bon Dieu, qu'est-ce que *vous* faisiez ici ?

Sam Andrews tapa sur l'épaule de Walker.

— On a trouvé quelque chose, lieutenant.

— Quoi ?

Un des hommes du labo tenait un imperméable entre ses mains gantées.

— On l'a trouvé dans l'escalier, sur le palier du

cinquième. Il y a des taches de sang frais dessus, et une perruque blonde et un pic à glace dans la poche.

— Un pic à glace ?

Le gars du labo sortit le pic de la poche.

— Ouais, dit-il. Et regardez ça.

Il retourna l'imperméable. A l'intérieur de la doublure se trouvaient les initiales de la police de San Francisco.

— Grand Dieu, soupira Walker en passant une main dans ses cheveux.

Il n'y avait pas grand-chose de plus à voir dans l'immeuble d'Oakland, aussi toute l'équipe traversa-t-elle la baie de San Francisco, pour se rendre dans l'appartement de Beth Garner, dans le quartier de la Marina. Ils se répandirent dans l'habitation, déferlant comme une troupe de marines prenant une plage d'assaut. Nick errait derrière eux, pensant à une chose que Gus lui avait dite un jour. Nick pouvait encore entendre la voix grave de son équipier aussi clairement que s'il s'était tenu là — « Ne te fais jamais assassiner, Nick, si tu veux qu'on respecte ta vie privée ».

— Lieutenant ? appela Andrews. Nous avons trouvé une arme. Un revolver calibre 38. Dans la bibliothèque, derrière des livres.

— Faites comparer les balles avec celle qu'a encaissé Nilsen par la balistique, ordonna Walker.

— Il y a autre chose.

— Quoi ?

— Des photographies, répondit Andrews. Des photos de Catherine Tramell.

Cela sembla capter l'attention de Nick. Il rejoignit Walker à l'instant où il pénétrait dans la chambre. Le dessus de la coiffeuse de Beth semblait être un autel dédié à Catherine Tramell. Il y avait des exemplaires de ses livres et des paquets de photographies la représentant — Catherine au collège, Catherine à un combat de boxe, Catherine avec Johnny Boz, Catherine avec Roxy.

Walker se tourna vers Nick.

— Bien, dit-il, je suppose que la cause est entendue.

Tard dans la nuit, l'équipe de Walker se rassembla au service des Homicides, les différents bureaux semblables à une ruche en pleine activité. Talcott avait ordonné que toute l'affaire soit bouclée, proprement et sans bavure, au petit matin. Il avait prévu de tenir une conférence de presse, avait-il dit, et ne voulait rien qui restât en suspens.

L'imperméable et la perruque blonde étaient étendus sur un bureau. — C'est sa taille. C'est le sang de Gus, dit Andrews.

— Elle a dû vous entendre venir, dit Walker à Nick, et a jeté ses affaires.

Andrews lut ses notes :

— Il n'y avait pas de suite 405 dans cet immeuble. La compagne de chambre de Catherine Tramell durant sa première année à l'université est décédée. Elle est morte de leucémie il y a deux ans. Nous allons recevoir un fax de son certificat de décès.

— Autre chose ?

— Ouais, dit Andrews. C'est la grosse nouvelle. La balistique dit que le .38 trouvé dans son appartement est celui qui a été utilisé contre Nilsen. Pas de déclaration de détention. Ils comparent avec celui qui a servi contre son mari à Salinas. Le pic à glace est du même modèle que celui utilisé sur Johnny Boz.

Nick ne paraissait pas avoir entendu. Il était encore dans le brouillard — et, tout au fond, soulagé que Catherine soit lavée de tous soupçons.

— Y a-t-il un lien entre elle et Boz ?

Andrews hocha la tête.

— Ouais. Le psychiatre de Johnny Boz dit qu'il les a présentés lors d'une soirée de Noël chez lui il y a environ un an. Il dit qu'ils se sont vraiment tapé dans l'œil.

Walker tapota Nick Curran sur l'épaule.

— On ne peut jamais vraiment connaître les gens, n'est-ce pas ? Même ceux que l'on pense connaître sous toutes les coutures.

Ce ne fut pas la seule fois qu'on tapa dans le dos de Nick ce soir-là. Même Talcott ravala sa fierté et lui serra la main.

— Félicitations, Curran, dit-il, les dents serrées.

CHAPITRE VINGT ET UN

En dépit de l'intention de Talcott de tenir une conférence de presse soigneusement préparée le lendemain matin, la nouvelle que les meurtres étaient éclaircis avait filtré. Elle avait été annoncée dans les journaux télévisés de la nuit et entendue seulement par les insomniaques, les oiseaux de nuit, et les fanatiques des nouvelles – et par Catherine Tramell.

Elle attendait à la porte de l'appartement de Nick lorsqu'il rentra finalement chez lui. Elle n'était pas maquillée. Elle paraissait jeune, avec un visage frais, vulnérable et inquiet. Il la fixa, sans que son visage trahisse la moindre expression.

— Je ne peux pas m'en empêcher, dit-elle. Je ne peux pas m'empêcher de penser à toi. Je ne peux pas m'en empêcher. Je ne le peux pas. C'est impossible.

Nick s'approcha d'elle et l'enlaça, la tenant serrée contre lui. Elle avait les larmes aux yeux.

— Je ne veux pas faire ça. S'il te plaît. Je ne veux pas. Je perds tout le monde. Je ne veux pas te perdre. Je ne veux pas...

Il la serra de plus près, la guidant dans son appartement et dans sa chambre. Doucement il lui ôta ses vêtements et l'étendit soigneusement sur le lit, se penchant pour lui embrasser le visage, puis les seins. Elle noua ses bras autour de sa nuque et l'attira à elle, projetant son corps nu contre le sien.

Il se retrouva sur elle, lui faisant l'amour, doucement, tendrement, bougeant à peine en elle. Le peu de lumière dans la pièce accrochait les larmes sur ses yeux et les faisait briller.

Ils jouirent en même temps, de douces vagues de plaisir se brisant sur eux — un gonflement de félicité qui les emporta à travers le silence des minutes sombres de la nuit.

Plus tard ils demeurèrent étendus, immobiles, l'un à côté de l'autre sur le lit. Le regard de Nick était fixé sur le plafond vers lequel la fumée de sa cigarette s'élevait lentement.

Catherine était repliée contre lui, le visage caché.

— Qu'allons-nous faire maintenant, Nick ?

Après un instant de réflexion, il répondit :

— On baise comme des lapins. On élève des morpions. On vit heureux pour l'éternité.

— Je déteste les morpions, dit-elle.

— On baise comme des lapins. On oublie les morpions. On vit heureux pour l'éternité.

Catherine glissa un peu plus de son côté, ses cheveux tombant dans la ruelle, ses mains pendant, effleurant le sol. Son visage était soudain devenu inexpressif. Elle se retourna et le regarda droit dans les yeux.

— Je t'aime, murmura-t-elle avant de l'embrasser avec passion et avidité.

Elle le repoussa sur le dos, s'asseyant sur lui, les seins hauts et fermes. Elle se pencha et l'embrassa à nouveau, ses cheveux se refermant sur leurs visage comme un rideau doré. Elle l'embrassa profondément, un baiser chaud et humide. Nick fit basculer Catherine sur le dos et la pénétra d'un seul mouvement puissant.

Il ne pensait qu'à ce moment de plaisir ; au besoin de son corps. Il était totalement, béatement, inconscient de la présence du pic à glace à manche d'acier qui était caché sous le lit.

Achevé d'imprimer en février 1993
sur les presses de l'Imprimerie Bussière
à Saint-Amand (Cher)

PRESSES POCKET - 12, avenue d'Italie - 75627 Paris Cedex 13
Tél. : 44-16-05-00

— N° d'imp. 415. —
Dépôt légal : avril 1992.

Imprimé en France